D0921604

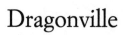

Dragonville

Michèle Plomer

Dragonville

Tome 1 : Porcelaine

roman

[FŒJ]

ÉDITIONS
MARCHAND
DE FEUILLES

Marchand de feuilles
C.P. 4, Succursale Place d'Armes
Montréal (Québec)
H2Y 3E9
Canada

www.marchanddefeuilles.com
Illustration de la page couverture : Jīhuì
Graphisme de la page couverture : Sarah Scott
Mise en pages : Roger Des Roches
Révision : Annie Pronovost

Diffusion : Hachette Canada

Les Éditions Marchand de feuilles remercient le Conseil des Arts
du Canada ainsi que la Sodec pour leur soutien financier. L'auteur
remercie le Conseil des Arts du Canada pour l'appui financier
accordé à ce projet.

L'auteur remercie le Conseil des arts du Canada pour son soutien.

Conseil des Arts   Canada Council   Société
du Canada   for the Arts   de développement
                                        des entreprises
                                        culturelles
                                        Québec

**Catalogage avant publication de Bibliothèque et Archives nationales
du Québec et Bibliothèque et Archives Canada**

Plomer, Michèle

   Dragonville

   Sommaire : t. 1. Procelaine.

   ISBN 978-2-922944-72-3

   I. Titre. II. Titre : Porcelaine.

PS8631.L65D72 2011   C843'.6   C2010-942362-3
PS9631.L65D72 2011

Dépôt légal : 2011
Bibliothèque et Archives nationales du Québec
Bibliothèque et Archives Canada

Il n'y a pas de plus grand malheur
que d'être insatiable.

Tao Te Ching

1910

1

La ville était gaie, et animée d'une force magique. Le calendrier lunaire arrimait le Nouvel An 1910 et le début du printemps. La nature débridée, dans un climat humide, contribuait au décor de fête. Les bougainvilliers et les flamboyants en fleurs qui bordaient les pavés dans la montagne ressemblaient à des feux d'artifice suspendus à mi-ciel.

La poussière du bas de la ville, fourmilière de pierre et de sable, collait à la crasse de ses bâtiments. Ces quartiers contrastaient avec celui en amont, Conduit Road, où les demeures cossues étaient juchées au bout d'allées vertigineuses, était d'un vert luxuriant. Encore plus haut, la montagne de Victoria Peak surplombait Hong Kong. Pauvres et riches, Jaunes et Blancs y monteraient pendant la période de fête pour échapper au quotidien et à l'air poisseux des marécages qui ceinturaient l'île. On oublierait, pendant cette semaine où tout était astiqué et recousu en neuf, que les diseurs de bonne aventure prédisaient un été de malaria.

À l'entrée de leur maison, les chefs de famille allumaient des pétards pour éloigner les mauvais génies, et les rues, toujours grouillantes, comptaient en plus les vieux et les imparfaits que l'on cachait l'année durant. Même les ennemis jurés se saluaient. À cette agitation s'ajoutait le bruit des colonies d'oiseaux qui s'aimaient dans les arbres, enivrés par le suc des fleurs alcoolisées par la chaleur. Les mâles roucoulaient leurs implorations les plus suaves, et les oiselles gazouillaient dans l'expectative.

Elle l'entendit malgré cette cacophonie.

Lung s'était réveillée aux bruits de l'amour qui traversaient le mur solide entourant sa demeure. Elle était sortie dans le jardin prendre son thé matinal et elle était restée debout, aux aguets, à écouter les chansons enflammées de la pariade.

Le printemps est une drogue puissante, se dit-elle.

Sa vieille servante avait laissé le plateau, sur lequel étaient posées la théière en porcelaine et la tasse peinte de gourdes jaunes, sur la table basse en pierre. Elle avait écouté le matin un instant, avant de retourner à sa cuve de lessive bouillante.

C'est le rire de cet homme que Lung connut de lui en premier. Un rire assuré qui transmettait l'essentiel d'une certaine information à ceux qui y étaient sensibles ; cette voix était celle d'un être d'une beauté exceptionnelle.

Elle prit une gorgée du thé *puer,* noir et âcre, qu'elle préférait au lever.

Elle entendit le rire de l'homme de nouveau.

De l'autre côté du mur, des garçons s'étaient arrêtés pour reprendre leur souffle. La pente de la rue était cruelle. Le plus lourdaud d'entre eux n'était pas chaussé et s'inspectait la plante des pieds avec beaucoup d'attention pour prolonger le répit. Les trois autres l'asticotaient :

– Tu es venu placer ces cailloux le long de la route, la nuit dernière, pour te donner la possibilité de t'asseoir sur ton gros cul ! lança l'un d'eux.

Les autres en rajoutaient de bon cœur.

Le gros répondit en montrant ses pieds, et les autres acceptèrent de renégocier le port des sacs les plus lourds. Ils montaient Victoria Peak à pied, dans la chaleur, avec des sacs de jute piquant remplis de gourdes de limonade fraîche, qu'ils vendraient, pour quelques sous, aux Anglais réfugiés dans les hauteurs, sous le couvert des arbres.

– Moi, je ne porte rien ! Je sais ce qui m'attend. Vous allez me flanquer à la vente, et je vais passer l'après-midi à cuire au soleil en faisant des sourires aux femmes comme un imbécile. Je vous vois venir ! déclara en riant le jeune homme à la voix exceptionnelle.

– Ne le prends pas comme ça, Li, répondit le gros, y a pas une de ces poules qui peut résister à tes charmes. Ton sourire leur donne chaud entre les jambes, et ça, ça se traduit en ventes. C'est de la bonne gestion d'entreprise !

– Alors, que celui qui est large comme un buffle porte les charges !

Les autres rirent, et le gros ajouta :

– Nous devons empocher assez pour la fête en ville ce soir, et pour payer nos places à bord du funiculaire pour redescendre. Je ne me taperai pas cette foutue montagne à pied au retour avec la chaleur qu'il fera cet après-midi.

Un autre lança :

– Elles s'émoustillent toute la semaine à lorgner les épaules et les ventres plats des coolies, et toi, tu les achèves avec tes yeux de tombeur. Quand elles te voient, ça leur prend une limonade à n'importe quel prix !

– Oui ! poursuivit un autre. Je ne sais pas comment les maris ventripotents de ces femmes font pour les satisfaire, mais si je leur faisais le même effet que toi, Li, ce n'est pas seulement de la limonade que je leur offrirais !

– Là, nous ferions de bonnes affaires ! dit le quatrième.

– Vous êtes des chiens en chaleur ! dit Li à la belle voix. Allons-y avant que le soleil nous plombe la tête. Je souris mieux quand je n'ai pas le dos courbaturé, alors je vous laisse décider lequel de nous portera quoi !

Et il rit.

Si elle n'avait pas entendu une troisième fois ce rire, elle aurait bu une gorgée de thé, au lieu de se diriger vers le fer délicatement ouvragé de la porte en forme de lune pour le voir.

Et la vie de Li le beau aurait été différente.

Mais elle l'avait vu, et il était magnifique. Plus que tous les beaux êtres qui l'avaient charmée. De l'autre côté des fioritures de fer, il y avait trois jeunes hommes et un être d'exception – un homme lui aussi, avec une natte qui lui tombait sur le dos. Li le beau attendait en silence que les autres règlent la question des charges en jouant de rapides parties de poing de serpent, ce jeu qui règle les différends, tout en maintenant l'équilibre et l'harmonie. Le pouce représentait le serpent ; l'index, la grenouille ; et l'auriculaire, le ver. Les garçons s'éliminaient un à un, le serpent l'emportant sur la grenouille, la grenouille sur le ver, et le ver sur le serpent, jusqu'à l'attribution du dernier sac, le moins lourd, plein des gourdes de limonade. Li remplissait ses poumons d'air propre. Les yeux mi-clos et la tête renversée en arrière, juste comme il le fallait.

Les deux mains sur la grille, Lung inspira. L'odeur de cet homme réveilla son corps en entier.

Il est beau. Elle ne se le répéterait jamais assez.

La tête penchée de Li accentuait sa mâchoire sublime. Carrée comme celle d'un crapaud *viridis.* Virile. Il tenait droit son corps étroit et découpé. Sa lourde natte huilée tombait avec un aplomb qui définissait l'arc de sa croupe.

Ta mère devait avoir hâte de te faire homme pour que tes cheveux soient déjà si longs, pensa-t-elle, car il était permis de couper les cheveux des garçons. *Ou tu proviens d'une famille pauvre qui suit les élucubrations de cet imbécile de Confucius.*

Elle souriait chaque fois qu'elle songeait à ce vieux fou.

Les haillons et les savates du jeune homme révélaient l'essentiel de l'état de la fortune de sa famille. Mais la pauvreté était régulière dans une ville où des milliers de familles subsistaient grâce à des emplois éreintants, précaires et souvent douteux. Elles s'arrachaient les pièces des logements déglingués, gérés par des cartels sans scrupules. Mais être là valait mieux qu'être n'importe où en Chine. Hong Kong était la ville de toutes les possibilités.

Au fil des âges, Lung avait constaté que les hommes les plus nobles et les plus racés, et elle en avait connu intimement plus d'un, avaient eu d'humbles débuts. Songeuse, elle imagina les bontés que ce corps pourrait lui prodiguer.

Elle sursauta.

Une petite couleuvre s'était enroulée autour de sa cheville et l'avait chatouillée délicieusement. La couleuvre déliée avait poursuivi son chemin entre les barreaux de fer de la grille, et s'était faufilée entre les pieds des jeunes. Li la vit le premier :

– Là ! Un petit dragon !

– Quel bon augure, mon Li. Tu vas faire mouiller les Blanches et nous remplir les poches en double aujourd'hui !

Après un dernier rire généralisé, la compagnie s'était remise en route, chacun portant la charge que le hasard lui avait attribuée.

Le chant des oiseaux revint aux oreilles de Lung.

2

Consacrer son affection aux rares hommes de grande beauté qui naissaient au hasard des siècles était possible pour Lung, puisqu'elle ne vivait pas dans le mouvement horizontal du temps. L'âge laissait sa marque autour d'elle, sans l'atteindre. Les fruits pourrissaient dans les plateaux. Le dos des servantes qu'elle achetait gamines pour le service de sa maison se voûtait, et leurs jambes finissaient par flancher. Les iris des chiens qu'elle chérissait se couvraient à la longue du voile laiteux qui annonçait la mort. Mais Lung occupait un trait vertical et immobile : le présent.

Elle avait donc eu le loisir d'aiguiser son goût pour la beauté. À ses débuts, les hommes ne lui avaient guère plu. Les muscles plats, les pelages lisses et les yeux pailletés de vie éveillaient ses ardeurs, et les humains mal équarris des premiers millénaires ne l'avaient pas remuée. Elle leur avait longtemps préféré la plastique et la fougue féline. Mais l'humain s'était raffiné. Et elle avait pris goût de lui.

Nul ne pouvait établir le compte des hommes qu'elle avait connus, ni lui en tenir rigueur. Elle survivait à tous. Hommes, servantes, observateurs indiscrets, personne n'avait connu autant de cycles qu'elle dans cette contrée. Aucun ne pouvait témoigner du moment de sa venue.

Pour connaître l'époque de son arrivée, nous devons remonter au début, à la genèse, lorsque le néant lui avait attribué sa forme. Elle s'était éveillée terre. Elle n'était pas tombée sur Terre, comme les météorites qui se décrochent parfois du ciel ; elle n'y avait pas évolué comme une bactérie qui se fixe à un hôte opportun, elle était la Terre. *Dei,* terre, et *Lung*, dragon. Elle s'appelait *Dei Lung*, « dragon de terre ». Parente avec toute matière, et capable de se métamorphoser en tout être.

Lung était accorte dans son incarnation de femme. Foncée, svelte, sans âge, certes pas jouvencelle, mais avec la fibre souple et l'œil tranquille de celles qui s'adonnent à l'amour. Mais ni ses origines ni son millésime n'importaient pour ses jeunes amants. Ces derniers, emplis de gratitude, s'abandonnaient sans arithmétique au plaisir et se soûlaient volontiers de ses nectars vieillis à point. Les jeunes hommes n'étaient pas encore saisis du désespoir de leur vieillissement et n'avaient pas encore à courir la fraîche chair tendue pour soutenir le flasque de la leur.

Mais qu'est-ce qui caractérise un bel homme – d'une beauté qui fait perdre son humanité aux femmes, et qui l'éveille chez un dragon ?

Des calendriers durant, Lung avait réfléchi à cette question et la seule réponse qu'elle avait trouvée était : rien. *Rien*. Les hommes comme Li étaient l'expression de l'ordre parfait. Ils étaient le prototype de l'homme. Leur physique, si rare qu'il en est troublant, est sans taches, sans histoires. Harmonie, symétrie, pores serrés. Les hommes locataires de ces corps se meuvent avec l'animale aisance de ceux qui n'ont rien à prouver.

Li avait hérité de ces richesses. Il s'habitait avec la désinvolture des créatures remarquables. Il émouvait avant de titiller. Il exsudait la tranquillité d'une œuvre d'art, l'humilité de la composition parfaite. Pas besoin de criant, de feint, de faux pour attirer le regard où l'œil se pose d'emblée.

Si Li avait su qu'il était beau, il aurait dit que cette beauté ne lui appartenait pas, qu'elle n'existait que pour les autres, qu'il n'était qu'un testament au génie qui l'avait engendré.

3

Les alentours de Hong Kong sont sillonnés de montagnes à l'échine noueuse qui courent vers le nord, loin en Chine. Leur dos rappelle celui des paysans usés. C'est ce qu'elles ont d'humain. Pour le reste, ces montagnes appartiennent au règne formidable du dragon. «Dragons dormants», les nomme-t-on. Respectueusement. Pour ne pas les faire trembler. Mais elles tremblent rarement. Les dragons d'Asie ne sont ni colériques ni portés sur la guerre, ce sont des êtres bienveillants. Ils portent l'essence de la vie dans leur haleine céleste. Ils soufflent les vents, ils font pleuvoir des torrents, et ils crachent les feux qui régulent le flux de l'existence.

De tous les chiffres, les dragons affectionnent le 9, et c'est en tant que créature composée de neuf bêtes temporelles que les artistes des premières tribus ont choisi de l'illustrer: tête du chameau, yeux du lièvre, oreilles du bœuf, cornes du renne, cou du serpent, ventre de la palourde, écailles de la carpe, pattes du tigre et serres de l'aigle. Tous s'entendent sur cette représentation, même si rares sont ceux qui ont vu un dragon de cette tournure.

Lung comprenait mal le besoin qu'a l'imagination de l'homme de l'immortaliser en une forme, car elle s'incarnait selon son bon vouloir. Elle pouvait se détacher de la terre, parcourir les cieux, longer le fond des mers, ou se déposer, poussière, sur le cil d'un nouveau-né. Tous les êtres ont cette faculté de transformation, mais l'angoisse de leur survie les empêche d'user de ce pouvoir. Le dragon, libre de la capsule du temps, peut se l'arroger. Le dragon connaît l'immobilité aussi. Les montagnes ne bougent que rarement. Dans son immobilité, le dragon observe avec attention, et il voit tout : le clair et l'obscur, et l'espace infini entre les deux.

De toutes les formes terrestres, Lung préférait maintenant la forme humaine femelle. À quelques occasions dans les époques anciennes, elle s'était incarnée avec un appendice viril, avait pénétré une femme, et déposé un germe en son sein pour assurer une dynastie. Parfois aussi, la tristesse des lamentations d'époux stériles l'avait attendrie. Elle s'était jointe à leurs ébats avec fougue dans ses mâles atours, et un enfant avait point. Mais ces accouplements furtifs et anonymes étaient de l'ordre du devoir. Ils lui procuraient très peu de plaisir.

C'est au féminin qu'elle ressentait les vertiges de la chair.

Des humains se font arbre, pierre, saint ou statue de sel afin d'échapper à leur humanité. Lung, elle, embrassait cette humanité, et c'est par cette incarnation qu'elle accédait à la volupté. Elle se délectait de la légèreté de sa forme, de l'assemblage aérien et sacré des cellules qui constituaient sa peau, son sang et ses nerfs, exultant au contact d'un autre.

Elle avait toujours choisi ses partenaires avec le soin d'un collectionneur. Les hommes beaux sont rares, mais ils en valent l'attente. Yang Qing, le dernier à avoir partagé sa couche, avait été emporté par une maladie qui avait couvert sa peau d'escarres. C'était il y a plus d'un siècle.

Depuis, elle attendait pour combler son désir, sa seule faiblesse.

C'est dans sa forme de femme que ce jour lui avait apporté Li le beau, mais c'est comme montagne qu'elle veillait sur la ville qui avait poussé sur une île dans la mer de la Chine du Sud.

Les hommes croient que le dragon s'en remet à ses humeurs pour contrôler les éléments, alors que son devoir est de les protéger. La furie qui semblait parfois s'abattre par châtiment sur l'île était au contraire l'aboutissement d'une lente réflexion mue par l'amour. Lung devait intervenir par moments pour freiner l'accroissement galopant de la population qu'engendraient les récoltes abondantes, pour stériliser les foyers de la malaria dans les zones marécageuses de la rive, ou pour déstabiliser le monopole des cartels de brigands qui rançonnaient les citoyens de la ville et les pêcheurs vivant dans leurs sampans, sur les eaux de la baie. Les hommes avaient le génie du péril, et les interventions de Lung se voulaient des mesures de survie, et non des punitions.

Quand elle devait agir, elle plongeait au fond d'elle-même pour rassembler toute sa puissance, et soulevait le vent et les eaux de concert, dans un immense tourbillon, dévastateur en apparence, mais qui rétablissait l'équilibre. Ces *dai fung*[1] déclenchaient chaos et souffrances dans l'immédiat, mais derrière ce chaos régnait l'ordre.

La ville se relevait toujours après les cataclysmes. Plus vigoureuse. Comme un buffle fouetté par une tige de bambou. Et la vie reprenait son cours, meilleure qu'avant.

Ce qui ne signifiait pas que Lung était au-dessus de tout courroux.

Il arrivait que les hommes la contrarient, et que sans raison apparente, leurs seaux se criblent de trous ou que le riz colle au fond de leur écuelle. Mais en général, elle tenait sa promesse et mettait

---

1. Typhons.

ses talents au profit du bien-être de la ville, l'aidant à évoluer d'un hameau de pêcheur qui n'avait eu de valeur pour personne, à une cité courue, dont l'emplacement stratégique, la profondeur des eaux de sa rade et la beauté naturelle étaient maintenant notoires.

Sa protégée avait même récemment fait l'objet d'un traité, signé par les deux plus puissants empires du monde. La Chine avait donné l'île aux Anglais.

Lung tolérait ces grands Blancs, même s'ils avaient gagné le territoire grâce au trafic de l'opium, car leur prospérité contribuait à l'essor de sa ville. Elle avait donc laissé naviguer leurs *clippers* toutes voiles gonflées le long de sa côte, et plus au nord jusqu'à Canton. Avec leurs cales remplies de drogue. Elle avait coulé des vaisseaux où la brutalité à bord avait déjà tué l'humanité des matelots. Elle avait fait perdre ceux dont la cargaison grouillait de larves exotiques affamées, qui n'auraient fait qu'une bouchée de la végétation de l'île, mais elle avait permis le transport de l'opium. Elle se disait que la souffrance répandue par la pâte du pavot cultivé par les Anglais dans leur Bengale servait un plus grand idéal. Les Britanniques étaient des bâtisseurs de lendemains et de surprenants stratèges.

La Chine s'autosuffisait en tous points. Impossible d'y faire du commerce. Les Anglais avaient donc introduit l'opium sur le territoire. Une substance irrésistible, qui rendait les choses urgentes et les hommes inassouvissables. Et le marché s'était déployé comme les pétales du pavot s'écarquillent sous un soleil trop chaud.

Les Britanniques cultivaient et transformaient la substance qu'ils vendaient par le biais de marchands contrebandiers, et que les mandarins payaient en taels d'argent. Puis, ces mêmes marchands contrebandiers écoulaient en toute légalité les sommes obtenues en achetant du thé, dont ils chargeaient le ventre de leurs vaisseaux délestés de la drogue. Ils poussaient ensuite leurs trois mâts à la limite afin d'arriver les premiers en Grande-Bretagne avec la dernière récolte. Le premier arrivage obtenait le plus haut prix, et faisait la gloire du capitaine. L'Angleterre victorienne n'était jamais rassasiée de thé, de l'*elixir of life*. Et la couronne renflouait ses coffres en taxant joliment son commerce. Londres avait investi des sommes pour consolider sa présence sur l'île, portail des trésors de l'Est. Une ville s'était organisée et avait prospéré autour du port de traite.

De majestueux voiliers, tel le *Cutty Sark,* étaient entrés dans la légende pour leur rapidité. Mais à peine vingt ans après le début du règne britannique sur Hong Kong, la vélocité des marchés et l'évolution technologique, alliées à la soif de vitesse, avaient sonné le glas de l'ère des grandes voiles, et le vapeur, avec son charbon et ses cheminées, avait imposé ses standards et son esthétisme sur les mers.

Le nom de son île rimait de plus en plus avec paix et abondance, et Lung était sûre que bientôt, elle pourrait se reposer et jouir des largesses de sa terre. Pour l'instant, elle veillait sur Hong Kong sans flancher. Et toute ville se serait félicitée d'être enveloppée d'un amour aussi ardent.

4

—J'avais oublié jusqu'à quel point vous êtes belles !

Les glands rouges des plants de rhubarbe pointaient à la surface de la terre moite, de chaque côté de la porte de ma chambre de motel.

J'ai tourné la clé et l'ai mise dans la pochette intérieure de mon sac avec attention. J'ai inspiré pour m'imprégner du printemps dans l'air, et me suis penchée pour mieux voir les premiers balbutiements vigoureux et érotiques de cette plante, rustre de réputation. Ses protubérances nouvelles perçaient le sol meuble, pleines de désir et rouges de pudeur, à force de se dévoiler au grand jour. Bientôt, les glands se fendraient, puis s'écartèleraient en laissant apparaître, recroquevillées, des feuilles tendres comme les lèvres intimes d'une femme.

Bonne idée de les avoir transplantées ici pour border les chambres. Les tulipes sont trop chastes pour les ébats de motel.

J'ai caressé les ravissants bourgeons rigides. Personne ne pouvait me voir. Le motel était désert aussi tôt dans l'année.

Quelle chance que monsieur Théoret le garde ouvert pendant la basse saison.

Comme toutes les petites villes des Cantons-de-l'Est, la mienne, sise au bord d'un lac majestueux, comptait une collection de gîtes, tous plus précieux les uns que les autres, mais ils appartenaient à une nouvelle vague de commerçants. Je préférais loger chez un vieux de la vieille, dans un pays connu.

J'étais arrivée l'avant-veille, en fin d'après-midi, au moment où l'enseigne du motel, un vestige des années 1960, s'allumait. Le motel, quoique bien entretenu, ne devait jamais avoir vu le marteau d'un rénovateur.

Monsieur Théoret regardait le téléjournal derrière le comptoir en mélamine jaune. Je ne voyais de lui que son crâne dégarni lorsque je suis entrée.

– Bonjour, monsieur Théoret, vous n'êtes pas parti en Floride ?

Avec regret, il a quitté des yeux la télé et m'a fixée en essayant de me replacer dans sa mémoire. Cela prendrait un moment.

– J'ai pas d'intérêt pour la Floride, moi. Pis j'me tanne du monde en vacances ! J'les ai ici tout l'été. Pas besoin d'aller les voir dans l'Sud !

– Je comprends votre point de vue ! lui ai-je dit en riant. Ça sent le printemps et le lac est calé. Les touristes ne tarderont pas à revenir.

– T'es pas la p'tite Matthews, toi ?

– Oui. Sylvie. Vous avez d'la mémoire, monsieur Théoret ! Je me demandais si vous me reconnaîtriez.

– T'as pas tellement changé, pis t'es le portrait de ta mère.

Il a baissé le son de la télé et s'est levé pour ajouter :

– Mes condoléances, pour ta mère. Maudite maladie, celle-là.

– Merci, monsieur Théoret.

– Quel bon vent t'amène ? Il me semble que tu ne vis plus en ville depuis un p'tit bout. T'étais pas partie au Japon ou en Chine, ou quèque part dans ce coin-là ?

– Oui. J'ai été en Chine quelques années. Je suis sur mon retour, justement.

Soudainement intéressé, il s'était accoudé au comptoir, comme s'il s'installait pour une longue conversation. J'étais heureuse d'être là, mais j'étais surtout claquée par le voyage et les émotions du retour. J'ai décidé de couper court à la discussion :

– Je ne vous dérangerai pas longtemps, monsieur Théoret. J'aurais besoin d'une chambre pour deux ou trois semaines. Je suis en train de faire

faire des travaux dans un local sur la Principale. Je me lance en affaires ! J'ouvre une boutique !

— Ben dis donc ! Tu vas vendre quoi, dans ton magasin, si c'est pas trop indiscret ?

— Des antiquités, de la porcelaine, des foulards de soie que je vais importer de la Chine. Ce genre de choses-là, de beaux objets, pas de la pacotille de magasin à un dollar.

— Ouais, parce qu'honnêtement, c'est pas les cochonneries de la Chine qui manquent ! Tu t'installes où pour vendre tes chinoiseries ?

— J'ai pris le local de l'ancienne galerie Meunier. Vous savez où c'est ?

— Oui, oui. Je sais où y avait sa galerie, Meunier. J'suis jamais rentré. Tous des voleurs, les vendeurs de croûtes. Pis y a pas de Picasso dans l'coin, pis même Picasso, j'en voudrais pas !

J'ai ri. Et il a poursuivi :

— C'est pas que je veux pas de ton argent, mais y a une affaire que j'comprends pas : pourquoi veux-tu coucher icitte, quand y a la maison de ton grand-père qui dort, vide, au bord de l'eau ? Elle a du chauffage, toujours ?

— Oui, oui, il y a un homme en ville qui fait remplir le réservoir d'huile et qui fait l'entretien. Mais personne ne l'habite depuis des années. J'sais pas dans quel état elle est en dedans. Il doit y avoir des toiles d'araignée pour les fins et les fous !

Je voyais dans les yeux de monsieur Théoret qu'il avait compris que je ne voulais pas m'éterniser sur la question de la maison de ma famille.

– Quand je serai installée à la boutique, j'aurai le temps de me trouver un logement et de régler la question de la maison. Probablement que je la mettrai en vente.

Il a acquiescé, et a ajouté pour conclure :

– Ça doit faire la queue pour mettre le grappin sur c'te propriété-là.

– Je le sais pas. J'ai pas la tête à ça pour l'instant. Je veux mettre mon énergie dans l'aménagement du local, et ouvrir au plus vite.

– Qui est-ce qui fait la *job* ?

– Jean Bisaillon.

– Ah oui ? Combien qu'y t'charge, le gros Bisaillon ?

– Trop ! ai-je répondu du tac au tac, heureuse que nous soyons passés à un autre sujet. Mais tous les ouvriers demandent à peu près le même prix, ai-je ajouté.

– Ouais, ils se tiennent. C'est tous des maudits voleurs qui travaillent en dessous d'la couverte ! C'est pour ça qu'y en a pas un qui va me faire mettre la main dans ma poche !

– Vous êtes chanceux de pouvoir faire vos travaux vous-même.

_____

– Moi ? J'en fais pus de travaux. Les clients se choquent quand je change trop le motel. Y en a qui ont fait une syncope quand j'ai fait installer la soucoupe pour le satellite. «Ça dévisage le motel», qu'ils m'ont dit. En tout cas, y changent de disque quand y voient la quantité de postes qui rentrent maintenant !

– J'imagine ! Je ne veux pas vous presser, monsieur Théoret, mais est-ce que vous auriez une chambre pour moi ?

– Ben sûr ! Tu peux choisir la chambre que tu veux. J'te chargerai le prix à la semaine, mais Claudie et Yolande rentrent juste la fin de semaine pour faire les chambres, pendant la saison morte. Je vais te donner des serviettes en extra pour que tu tiennes toute la semaine.

– Un gros merci… J'aurais autre chose à vous demander.

– Vas-y.

– J'ai des boîtes de marchandise qui vont arriver par UPS. Est-ce que je pourrais les faire livrer ici, à la réception ? Je viendrais les chercher en fin de journée.

– Pas de problème. Y sont pas pleines de coquerelles chinoises, toujours ?

– Pas de danger ! Et puis, comme vous l'avez dit tout à l'heure, on est inondés de bébelles faites en Chine. S'il y avait des coquerelles dans les boîtes, avec toutes les boîtes qu'on reçoit, on serait déjà infestés !

Puis, j'ai ajouté un petit mensonge qu'il n'a pas eu l'air de croire :

– C'est propre, en Chine.

– En tout cas, j'te souhaite bonne chance. C'est pas bon d'avoir des locaux vides sur la Principale. Ni des maisons abandonnées.

– Un gros merci, monsieur Théoret. Je pense qu'en trois semaines, le travail sera terminé. Je voudrais ouvrir la boutique pour la fête des Mères.

– Prends le temps de finir, parce que quand le monde de Montréal va arriver pour l'été, le gros Bisaillon, y saura plus où donner de la tête ! Hé ! hé !

La musique familière du bulletin de dix-huit heures a attiré son attention. Ouf ! Je serais bientôt sous la douche, puis couchée.

– Voulez-vous que je vous laisse un acompte, monsieur Théoret ?

– Pas nécessaire. J'te fais confiance. Je vous ai tous connus, les Matthews : ta mère, pis ton grand-père avant. J'te dis qu'y était fier dans son uniforme de capitaine. Y en font plus, des hommes comme ça.

Je nous voyais repartis pour un bon moment avec ce sujet-là, alors je suis revenue avec la question de la chambre :

– Est-ce que vous avez une chambre numéro 9 ? C'est mon chiffre chanceux…

Et monsieur Théoret a pris la balle au vol :

– Ben sûr. Entre la 8 et la 10 ! Hé ! hé !

Sa blague l'avait déconcentré :

– Bon, qu'est-ce que je faisais, déjà ? Ah ! oui, la clé, pis des serviettes en extra. Attends, je vais aller te les chercher…

• • •

La chambre numéro 9, avec son couvre-lit à motifs carrelés *black watch* et ses rideaux assortis, me convenait bien. Elle était paisible et sentait l'entretenu. Je marchais volontiers pieds nus sur les poils denses du tapis vert sapin, ce que je faisais rarement sur les planchers des chambres d'hôtel. Est-ce monsieur Théoret qui avait découpé, dans un magazine, les photos de grands voiliers accrochées aux murs dans de petits cadres noirs ? Quelqu'un y avait mis du soin. C'était une chambre rassurante, dans un motel où les gens passent leurs vacances, où les portes laissées entrouvertes claquent, poussées par le vent du lac, où l'on termine des conversations animées en sortant des voitures, où des rires d'enfants traversent parfois les cloisons insonorisées. Pas un motel de sons étouffés, de gémissements à peine audibles, d'identités tues, de déplacements calculés et de taches sordides sur les draps.

Pas comme la chambre d'hôtel où tu m'as emmenée la première fois.

Une chambre dans un hôtel décrépit, dans le quartier du port de Hong Kong, fréquenté par des hommes qui tuent l'amour. Les cigarettes fumées après les corps à corps avaient jauni les murs. Les hommes des cartels qui régissent la cité y venaient aussi pour négocier, pour allumer le nombre de cigarettes nécessaires pour conclure une affaire et pour boire la quantité de thé qu'il se doit dans de telles circonstances. Les cendres de leurs cigarettes tombaient sur les taies d'oreiller sans y laisser de trous. Elles refroidissaient, entières, et reposaient là comme des cadavres de calcaire, jusqu'à ce qu'un couple les fasse voler dans ses ébats.

Tu tremblais de désir en pénétrant dans cette chambre.

Depuis des années, tu jouissais violemment en regardant des images de femmes de l'autre face du monde. Tu allais enfin goûter la blondeur et connaître le sucré du miel qui coule par plaisir, et non par obligation ou par intérêt.

Je t'y avais suivi sans trop réfléchir. J'avais connu d'autres après-midi comme celui-là.

Tu avais joui comme prévu. Mais pour moi, ça avait été le choc, l'inattendu, l'ahurissement de découvrir que ton corps était tellement léger que tu m'avais fait l'amour sans presque me toucher.

5

La fête des Mères, avec sa flopée de homards au rabais, était passée. La rhubarbe avait déployé ses feuilles et les pommetiers en fleurs embaumaient l'air de leur parfum rose tendre. Mais les travaux dans mon local n'étaient pas démarrés.

Tant pis pour la manne de la fête des Mères.

Madeleine Paimparé, l'agent d'immeubles qui avait agi en mon nom pour louer le local de la boutique, avait vidé la pile de son téléphone cellulaire pour retrouver le propriétaire afin d'obtenir les clés. Elle l'avait rejoint alors qu'il se trouvait dans un motel de la I-95. Il revenait de Floride où il avait passé l'hiver. Madeleine avait dû remuer ciel et terre pour que le propriétaire, monsieur Lapointe, consente à envoyer *son homme* chercher les clés.

Je m'étonnais de ce manque de coopération. J'espérais que ces difficultés, bien que négligeables, ne soient pas un mauvais présage.

Madeleine me rassurait et me disait que je ne paierais pas une cenne pour le mois de mai et qu'elle lui mettrait les points sur les *i,* à ce monsieur Lapointe.

Je n'avais pas de téléphone portatif. Alors Madeleine apparaissait et disparaissait, au volant de sa Lexus de l'année ; elle me tenait au courant du dossier. Elle possédait la singulière faculté de me trouver, où que je sois, peu importe l'heure du jour. Dans la file à l'épicerie, dans un rayon à la bibliothèque, sur le seuil de la chambre numéro 9, la tête dans mon sac à chercher mes clés.

Madeleine donnait tout son sens au « Nous trouvons ! » inscrit au dos de sa carte professionnelle VendMax.

– Tu devrais t'acheter un cellulaire, m'avait-elle dit, c'est pratique.

Elle sentait Opium, la certitude et le cuir neuf.

Ce retard n'avait pas barbouillé l'humeur égale de Jean. Des fenêtres moustiquaires et des portes d'été en mal de peinture l'attendaient chez un des fils Coutu. « Une grosse cabane au bord du lac, avait-il dit, ça m'arrange ; les fenêtres et les portes seront ben sèches avant que je les pose. »

Et pour moi, il y avait toujours la question de la propriété que mon grand-père m'avait laissée à la pointe de l'Ancre.

Je pourrais demander à *Bisoune*… à Bisaillon… à Jean ! de m'accompagner pour enlever les planches en bois placardées sur la porte d'entrée.

Bisoune. Impossible de décoller ce nom des parois de mon cerveau. Je me souviens de mon bouleversement lorsque j'ai entendu, pour la première fois, la bande de garçons crier à tue-tête ce mot si laid. Mon premier contact avec l'obscénité.

Les garçons jouaient à roche, papier, ciseaux afin de déterminer qui garderait les buts au ballon-chasseur. Jean avait perdu le premier.

« T'es dans les buts, Bisoune ! »

Le surnom avait retenti dans la cour d'école, mêlé aux rires sadiques. Il avait martelé Jean plus fort que les coups de ballon. Il était rebaptisé.

J'avais chassé ce souvenir au sujet de Jean Bisaillon, jusqu'à ce que Madeleine l'embauche pour effectuer les rénovations, et qu'elle écrive son nom dans un courriel qu'elle m'avait envoyé en Chine.

Je le retrouvais adulte, gauche, gras, rubicond, et qui s'adressait à ses interlocuteurs sans soutenir leur regard. Il avait commencé la vie en Jean, mais il était devenu le nom qu'on lui avait attribué.

Je l'avais revu la première fois, dans le stationnement du motel Memphré, pour discuter des travaux, du plâtre défraîchi et du plan électrique malcommode. Je lui avais dit « entre, Jean, il fait froid », mais il avait fait mine de ne pas entendre, et c'est moi qui étais sortie avec un châle en cachemire pour me protéger le dos.

Un sentiment lourd comme un voyage de pierres concassées pesait entre nous. La lourdeur de l'école primaire.

Nous avions passé sept ans dans la même classe, dans la même tribu. Jour après jour. Trente enfants qui, parce qu'ils étaient nés la même année, avaient égrené leur enfance avec les vingt-neuf autres en toile de fond. Je le connaissais, Jean. Ses tics, ses ennuis avec les *p* et les *b,* ses pattes de mouche, ses minables résultats, et les chandails qu'il portait en alternance du lundi au vendredi. Ses difficultés en classe n'avaient eu aucune importance pour moi. Je le connaissais en dehors des exigences de notre enseignante. Il habitait, avec sa mère et une poignée de frères, une bicoque qui avait été construite sur le terrain du moulin à scie, sur le bord du lac, entre la pointe de l'Ancre et la rue Principale. Je passais devant lorsque j'allais à l'école. Au cours des premières années, nous avions marché ensemble, naturellement, sans jamais nous presser, ne parlant que pour échanger nos observations au sujet de la nature changeante du bord du lac. Têtards, grenouilles, quenouilles, frimas, fissures dans la glace ; nous étions compagnons de route, jusqu'à ce que les prédateurs de notre classe s'attaquent à lui. Horribles tourmenteurs qui répondaient aux instincts les plus bas.

Et j'avais laissé faire. Non seulement je ne m'étais pas interposée, je m'étais distancée. Je m'étais établie ailleurs que lui. Je l'avais sectionné de moi par couardise, de peur que ces cosaques m'associent à lui, et flairent l'étrangeté de ma famille, l'étrange en moi. Dès lors, je m'organisais pour qu'il marche loin au-devant.

Mon attitude m'avait dégoûtée. Avilissante, la promiscuité d'une petite école.

Ce premier échange d'adultes dans la lumière crue de ce matin de printemps avait ravivé cette honte refoulée.

• • •

Je profitais de l'attente pour me remettre de mon décalage horaire, pour m'acclimater au centre-ville, pour acheter les menus articles et denrées nécessaires à mon quotidien d'ici et auxquels je n'avais jamais pensé en Chine. Je devais aussi localiser mes colis en transit, alors je passais des heures à la bibliothèque avec mon ordinateur portable. Il m'était étrange d'habiter les jours. Dans un pays de lumière. Dans une langue mienne, dans des odeurs connues. Après ces années vécues pour les étreintes de nos nuits et dans l'anonymat de l'exil.

Au lieu de faire face à la mise en vente de la maison de la pointe, une mise en vente qui aurait tué mon grand-père s'il n'était pas déjà mort depuis trente ans, j'avais acheté une auto en attendant les clés du local.

«Elle est pratiquement neuve», avait dit le vendeur, chez Ford, montrant du doigt l'odomètre, comme si je ne savais pas où le trouver. La voiture avait déjà roulé quatre-vingt-dix mille kilomètres. Une familiale. Rouge. Idéale pour mes boîtes. Elle correspondait à mes deux critères d'achat : familiale et rouge. L'affaire était dans la poche, mais le vendeur insistait pour partager l'intégralité de son savoir sur les véhicules et sur les besoins des femmes pour me convaincre *davantage*. Je ne l'écoutais pas. Je visualisais le nom et le logo de la boutique sur les flancs de l'auto. Jaune sur rouge. Je pensais à la maison aussi ; je ne pourrais plus remettre à plus tard mon retour à la pointe, maintenant que j'avais une auto à moi.

Et le vendeur vendait. Il sentait la cigarette mêlée à l'air frais du dehors. Les lois sur le tabagisme s'étaient musclées pendant mon absence, et je ne m'étais pas encore acclimatée à cette odeur de travailleurs qui fument à l'extérieur.

J'ai fait une soustraction dans ma tête et je lui ai coupé la parole :

– Voici : six mille trois cents dollars, et je vous fais un chèque immédiatement.

Il avait dit oui sans sourciller, sans terminer la phrase qu'il avait amorcée, comme un guerrier venant de recevoir le ricochet d'une balle sur son casque métallique. J'ai sorti mon chéquier de mon sac et j'ai inscrit «achat Panthère rouge» dans mon carnet de chèques.

Une chaleur radia de la plante de mes pieds jusqu'à mon plexus solaire.

J'adore le commerce. Je vibre quand j'achète. J'y avais pris goût dans les marchés de Hong Kong. Tellement facile de concentrer son énergie sur la valeur des objets. Pas de risque d'y laisser sa peau comme dans les marchandages entre humains. La relation d'affaires entre le vendeur et l'acheteur, les négociations, la danse amour-haine subtile et titillante du pouvoir et de la soumission, dans laquelle excellent les Chinois, me grisent. Au final, le commerce n'est qu'un jeu. Les Chinois sont joueurs, ce sont des enfants qui s'amusent avec des liasses de grosses coupures. C'est toi qui m'avais initiée à cette danse, là-bas.

Pendant que l'imprimante peinait à produire le contrat d'achat en multiples copies, je me suis dit : *Une chose à la fois. Comme tu l'as dit à monsieur Théoret. Avant de prendre une décision pour la maison, tu as ton retour au pays à vivre et le local à rénover; et tu dois préparer la boutique pour son ouverture. Tu as du temps. Tu n'as même pas encore la clé du local.*

•••

À ma grande surprise, quand je suis retournée chez Ford, hier, pour prendre possession de la Panthère rouge, le vendeur m'attendait avec un message de Madeleine :

J'ai les clés. J'ai fait faire un double et j'en ai donné un set à Jean. Il pourra commencer les travaux aujourd'hui.

Mado

6

Ce matin, alors que la rosée venait à peine d'atterrir sur la pelouse du motel Memphré, l'éclat métallique de la sonnerie du téléphone à cadran m'a sortie des limbes. Au bout du fil, Bisoune, inquiet :

– Excuse-moi. Je sais que je te réveille. Mais j'ai commencé les travaux hier, et j'ai besoin que tu passes au local avant de continuer. Je serai là à huit heures trente. Bye.

Clic ! Silence.

Je n'avais pas eu le temps d'ouvrir l'œil ni de placer un mot.

Monsieur Théoret m'avait déniché, dans son *stockroom,* une bouilloire et un grille-pain des années 1970, vert olive fade. La couleur de la modernité dans mon enfance. Un vert que l'on ne voit plus. Je préparais mes déjeuners avec ces deux merveilles.

Des boîtes de marchandises, livrées avec une régularité métronomique à la réception du motel, formaient de vertigineuses pyramides, collées aux pans de murs libres de ma chambre. Les caractères chinois et les *fragile* tamponnés en gros et à répétition sur les différentes faces des cartons leur donnaient une allure de marchandise de contrebande qui plaisait beaucoup à monsieur Théoret. Cela lui rappelait de vieilles épopées de commerce de cigarettes avec les *États*.

Je suis sortie avec deux boîtes légères sous le bras, pleines de foulards, que je voulais apporter au magasin, étrennant ainsi le coffre de ma Panthère.

Mon récent retour au pays m'aidait à ressentir intensément ce printemps.

Des violettes minuscules constellaient la pelouse tendre du motel. Des merles chassaient les vers dans le soleil du matin. Mais le fond de l'air restait frais.

Le vent soufflait du lac, se chargeant à son passage de la fraîcheur de l'eau. L'enseigne *Motel Memphré,* un gigantesque cube en verre, grinça dans le vent. Selon la légende, un monstre lacustre avait élu domicile dans notre grand lac. Il terrorisait les Amérindiens, bien avant l'arrivée des premiers colons blancs. On l'avait représenté, sur l'enseigne du motel, avec des lunettes de soleil, et sirotant une margarita sous des palmiers tropicaux. Ridicule. Mais les touristes en redemandaient, et le monstre était devenu la mascotte des commerçants de la région, qui l'avaient baptisé Memphré. Le graphiste de la firme qui travaillait sur mon logo m'avait même dit, en plaisantant, qu'il pourrait me dessiner un Memphré asiatique maniant des baguettes ! On avait bien rigolé.

Mais Memphré, c'était du sérieux. Presque tous les ans, quelqu'un avait aperçu la créature. Pêcheurs, baigneurs, vacanciers, couples illicites, policiers à la retraite. L'âge et le profil des observateurs variaient, mais la description de la bête demeurait étonnamment fidèle. Quelques photos floues, captées par hasard ou en catastrophe, étaient exposées par la Société d'histoire dans la vitrine du bureau d'information touristique de la rue Principale. Je connaissais par cœur ces photographies d'eaux grises où apparaissait le dos ondoyant d'un gigantesque serpent noir à la peau épaisse et luisante comme le pneu d'un Boeing sur un tarmac détrempé. Elles étaient reproduites sur les napperons de papier du Memphré *snack-bar*, où je commandais mon club sandwich le midi. Je m'imaginais que les tables du Nessie *snack-bar* du village natal de mon grand-père étaient habillées de napperons identiques. Monsieur Théoret m'avait dit qu'une équipe de plongeurs français avait accroché leurs pénates dans Sargent's Bay l'été dernier avec un cortège de caméras. Il pensait aussi qu'ils feraient un film qui passerait à *Découverte,* comme celui du fanfaron dans l'Antarctique sur son bateau à voiles bleues. Les légendes terrifiantes sont lucratives.

Le cube de verre de l'enseigne tenait par la peur, accroché à deux vieux poteaux en métal rouillé. Ça, c'était terrifiant ! Et j'ai noté dans mon cerveau de ne jamais me prélasser dessous.

Un frisson m'a parcouru le dos. *Ce froid.* Mes châles en cachemire ne seraient d'aucun secours contre lui.

La chaleur me manquait. La chaleur sous-tropicale, comme une douce flanelle qui me retenait dans un cocon de sécurité. Et ton corps me manquait, dur, celui-là, avec sa cadence régulière de plaisir. Je revoyais ton corps, dès que les tracasseries du réel m'abandonnaient, couché en travers des draps de la couleur des enveloppes de riz, qui constellaient les chemins du village de tes parents après le battage. Ton torse doré, sans âge, répliqué depuis des siècles. Et même si j'avais formulé le souhait de ne jamais quitter ton lit, je savais que l'exil est un état temporaire. J'ai pensé revenir. Vivre ma vraie vie. Et cette pensée de l'inévitabilité de mon départ, même jamais prononcée, m'a épouvantée, a étouffé le sentiment d'allégresse que je ressentais lorsque j'étais avec toi. J'attendais le moment de t'en parler, le tâtais, le repoussais. Je t'épiais, te mesurais. Je jaugeais ton engagement, ton attachement, alors que je savais depuis le début que tu avais souscrit à notre commerce parce que j'étais une étrangère, quelqu'un qui partirait.

Puis, lorsque la maladie a dépouillé ma mère de toutes ses facultés, elle est décédée. Et je suis revenue prendre ma place, dans le pays des petites fleurs, du froid solide et des coups de téléphone de Bisoune.

J'ai pesé sur l'accélérateur, laissant l'enseigne du motel dans la poussière, et en me jurant d'éradiquer le mot *bisoune* de mon vocabulaire.

●●●

Depuis mon retour, la clarté des jours me surprenait. Elle me transperçait. Je n'y étais plus habituée. J'avais vécu dans le sombre et la poussière d'une grande ville chinoise, où la fumée des industries avait depuis longtemps affadi le ciel. J'avais aussi oublié l'immensité de mon paysage natal. Lorsque la grande route devenait la rue Principale, mon pare-brise s'emplissait de l'étendue bleue du lac et du ciel. Ce lac touchait la rive du petit centre-ville et s'étendait sur plus de quarante kilomètres. Rien pour obstruer la vue ; quel luxe inestimable. J'avais perdu l'habitude de regarder au loin, en raison de la proximité des gratte-ciel de la Chine.

Tout au bout de la rue Principale, le bord du lac, la piste cyclable pavée, la plage publique et le quai municipal, avec son faux phare aux marches en colimaçon, où l'on montait pour magnifier un paysage qui vous coupait déjà le souffle au ras du sol, créaient un décor de dépliant de vacances. Lac devant, montagnes derrière, visiteurs et résidents se baladaient avec le sourire aux lèvres et le *bonjour* facile. Le bonheur est palpable dans un paysage sans retenue.

La piste cyclable récemment aménagée longeait le quai et continuait un moment près du lac, passant la pointe de l'Ancre et Lake House, la maison de mon grand-père. Puis, elle quittait la rive pour s'engager dans la montagne et rejoindre le réseau cyclable de la Route Verte.

Je repousserais encore un moment mon passage du côté de la pointe, du côté des décisions irrévocables. Je m'arrêtais pour l'instant quand je voyais le bleu du lac.

J'aime les couleurs. Le rouge des temples taoïstes, avec leurs dieux aux visages tuméfiés par la colère, et le jaune éclatant des bannières des bateaux-dragon m'avaient secourue dans la fadeur polluée de la Chine. Mais j'avais connu ses bleus dans mon enfance, ici. J'avais grandi avec le céladon mousseux de l'oreiller en porcelaine de la dynastie Song sur le manteau du foyer de notre maison, et avec le cobalt des scènes improbables, peintes sur la collection d'assiettes *blue and white* accrochées, innombrables, aux murs. Les objets extraordinaires des collections de mon grand-père ponctuaient nos vies ordinaires, à ma mère et à moi. Nos repas pris en silence à la grande table en if. Ces porcelaines précieuses, pendant des siècles époussetées, ne s'étaient jamais brisées ni même fêlées comme nous l'étions nous-mêmes. Ces paysages bleus m'avaient fait connaître un pays qui s'appelait Chine, dès les premiers recensements de ce qui composait mon univers, et m'avaient indiqué où j'irais quand surviendrait le besoin de partir. Ces paysages m'avaient donné le goût du large, ou peut-être l'avais-je hérité de mon grand-père, ancien capitaine de navire sur les océans, avant de terminer sa carrière aux commandes d'un bateau à roues à aubes sur le lac. Je me souviens de ses yeux bleus posés sur moi, ce bleu tranquille, utile pour traverser les âges et les tempêtes.

Tout reposait à sa place dans la maison depuis longtemps fermée. Je ne pouvais imaginer ces objets ailleurs qu'ici. Même après le départ des humains, le règne des objets était inachevé.

La maladie de ma mère, comme un fusil sur ma tempe, m'avait obligée à la déloger de Lake House, mais je n'avais jamais eu le cœur de vendre la maison.

La maladie de ma mère lui avait épargné la dispersion des objets de sa vie. Elle lui avait épargné, aussi, le bruit infernal des essaims de motomarines et la démolition des chalets voisins. L'Alzheimer lui avait fait pèrdre conscience des années, avant qu'elle quitte la maison.

Le centre hospitalier pour soins de longue durée l'avait accueillie, femme sans époux avec fille en Chine.

Ses absences la caractérisaient, même avant sa longue et avilissante dégénérescence. Toute ma jeunesse, je l'ai vue qui demeurait assise, entre les tâches ménagères, à regarder le lac. Assise dans la chaise capitonnée de grand-père. Pas calmement, mais habitée d'un tracas, ou en attente. Comme si le lac pouvait lui rendre une part de raison. Peut-être avait-elle toujours couvé cette maladie comme un œuf au sein d'elle-même. Grand-mère aussi était morte démente.

Je venais d'une lignée de femmes folles et j'étais petite-fille d'un capitaine de bateau. Notre nom, Matthews, était lié à celui du lac. Aucun notaire, épicier ou entraîneur de hockey mineur ne jaillissait à l'esprit de quiconque à l'évocation de notre nom. Il ne rappelait qu'un capitaine et son lac. Comme les bateaux à vapeur avaient disparu, et que rien ne pressait pour satisfaire à l'atavisme familial du côté féminin, je pouvais m'adonner à l'occupation de mon choix. Après des années d'errance en Chine, je me suis consacrée aux pièces anciennes en porcelaine, dont ces oreillers étonnants, considérés comme une bénédiction dans la quête du sommeil lors des nuits de chaleur torride de la Chine du Sud. À la soie et au thé, aussi. Des matières sèches, inertes, propres, dont j'étais amoureuse depuis que mon grand-père avait prononcé leur nom.

Ouvrir une boutique dans ma ville natale me permettrait de m'enraciner de nouveau, en continuant à m'adonner à ma passion pour le beau, une passion bénigne qui occupait l'essentiel de mes sens, et que je pourrais partager avec les résidentes de cette ville vouée à la villégiature et au bonheur des retraités depuis la fermeture des usines textiles qui l'avaient fait naître. Les bébés-boumeurs s'y installaient, attirés par l'assemblage parfait du lac et des montagnes, et parce qu'elle se mutait docilement pour répondre à leurs besoins. Le quadrilatère de l'hôpital jouissait d'une revitalisation immobilière et l'Université du troisième âge affichait toujours complet. L'été soufflait aussi des nuées de clientes en vacances. Et je pariais qu'elles échoueraient dans ma boutique sur la rue Principale, en mal d'exotisme, parmi les vendeurs de crème glacée molle et de bikinis bon marché que leur corps les avait contraintes à ne plus désirer.

Le quartier coquet, avec ses ancestrales maisons à lucarnes, ses pilastres et ses consoles ornées demeurait inchangé. Plusieurs demeures s'étaient métamorphosées en gîte touristique, mais elles restaient toujours belles.

Or la rue Principale n'était plus celle de mon souvenir. Les restaurants de chaînes insipides et les succursales de banques, qui vouaient leur devanture vitrée aux guichets automatiques, l'avaient aseptisée. Deux pharmacies se concurrençaient pour obtenir l'argent des personnes du troisième âge et un magasin à *un dollar* stockait des babioles abominables que les enfants choisissaient sans conviction.

Autrefois, une série de magnifiques maisons en bois, cossues, érigées pour loger les contremaîtres de la Textile, dans le style *Queen Anne,* bordaient le côté de la rue où coule la rivière, laquelle avait alimenté les moulins des usines à fil. Elles étaient d'une époque faste, de l'époque du nouveau chemin de fer, des ponts ouvragés et des excursions en bateau à roues à aubes sur le lac. Du temps de mon grand-père, capitaine du *S.S. Mistress of the Lake.*

Mais les vents de la fortune de la ville avaient tourné. Le *Mistress of the Lake* avait été démantelé en 1917, et son métal envoyé dans des fonderies d'Europe pour le transformer en instruments mortels. L'entretien du bois ouvragé des maisons ostentatoires coûtait la peau des fesses, comme chauffer leurs pièces en mal d'isolation. Plusieurs demeures avaient été démolies pour faire place à des édifices propices au commerce, d'autres avaient été laissées à l'abandon.

Les années 1970 avaient ranimé certaines des vieilles bâtisses. Mon enfance appartenait à cette époque. Une armée pacifique d'hommes aux cheveux longs, débarqués de la grande ville, avait peint leurs frontons des couleurs de l'arc-en-ciel. Une librairie alternative avait vu le jour. Une épicerie vendait de l'encens et des épices musquées dans des sacs en plastique. Et un petit restaurant se spécialisait dans la soupe aux lentilles. Dans la monotonie du quotidien, avec ma mère, celle de nos repas de toasts avec du fromage orange et de la marmelade Wilkin & Sons, je me nourrissais des odeurs capiteuses qui émanaient de ces échoppes et de leurs étourdissantes devantures. Tous les jours, le garçon en jeans rapiécés du café dessinait à la craie un menu ravissant sur une ardoise qui chevauchait le trottoir. Les luzernes des salades et les pois chiches des casseroles dansaient sur le tableau. Je passais devant ces commerces pour sentir la vie d'ailleurs. Ils étaient fabricants de magie, ces jeunes illuminés que nous ne connaissions pas et qui ne sont pas restés.

Nous vivions entre nous ; nous fréquentions les mêmes écoles et nos parents étaient tisserands, côte à côte à l'usine depuis des générations. J'avais été exclue de ce *nous,* faute de tisserand dans ma généalogie, mais tolérée à cause de la réputation de mon grand-père et parce que nous vivions dans une grande maison sur le bord du lac. Jean aussi avait été exclu, mais il n'avait pas eu ma chance.

Mais même ces toutes dernières douairières avaient disparu. Deux adolescents, une flasque de Jack Daniel's, un briquet et une bouteille de Coke remplie de gaz siphonné dans le moteur d'une chaloupe de pêche avaient scellé le sort de ces bâtisses.

Les bulldozers avaient aplati leurs fondations centenaires la semaine suivante.

La Caisse populaire avait acheté deux des lots pour tripler son aire et *pour conjuguer* encore plus *avoir et être* et un *jazzman* avait acheté les deux autres, sur lesquels il avait bâti un pub avec une spacieuse et bourdonnante terrasse. Des filles *sexy,* en minijupes et en t-shirts commandités par des compagnies de bière, y travaillaient quelques étés avant de faire un bébé ou de terminer leurs études. Monsieur Théoret m'avait dit que l'une d'elles s'était rendue pas mal loin à *Occupation double.*

De la vieille garde, il ne restait que l'hôtel Nation du côté nord de la rue. Une institution qui abritait des logeurs aux tatouages délavés et qui offrait des jeudis soirs *poker night.* Et nous, en face. Côté rivière. Trois boutiques sous le toit d'un immeuble centenaire rescapé. Un barbier, un magasin de souliers et l'ancienne galerie Meunier que j'avais

7

Je me suis garée en avant de ma boutique, juste derrière la Lamborghini qui luisait au soleil comme une tarentule amazonienne.

Il était huit heures trente. Les parcomètres commençaient leur quart de travail à neuf heures. Quelle emmerde, ces parcomètres, alignés comme des soldats des deux côtés de la rue. Il faudrait que je me déniche une place dans le stationnement, à l'arrière, près de la voie ferrée et de la rivière. Je fouillais dans le fond de mon sac à la recherche de vingt-cinq cents rebelles lorsqu'une voix a retenti dans le silence du matin :

– Tiens, tiens, la Chinoise.

J'ai levé la tête.

Un homme bronzé, portant un chapeau panama avec l'aisance de quelqu'un qui était né avec sur la tête, souriait de son humour. Il devait avoir au moins soixante-dix ans. À voir la profondeur de ses rides, j'en ai conclu qu'il était un disciple du soleil.

– Hé! Hé! Rodrigue Lapointe. Je suis votre propriétaire.

– Ah! Monsieur Lapointe! Vous m'avez fait faire un saut! Enchantée. Je suis Sylvie Matthews.

Je lui ai tendu une main qu'il n'a pas prise.

– Je sais qui vous êtes. Vous vous faites espérer, mademoiselle Matthews. C'est pour quand, l'ouverture de votre boutique? J'aime pas beaucoup les magasins fermés. Pas bon pour moi. Pas bon pour la rue.

Il savait fort bien que l'épisode de la clé manquante était la cause du retard du début des travaux.

– Pas bon pour moi non plus, je vous assure, monsieur Lapointe; mais pas de clés, pas de travaux!

– En tout cas, ça devrait aller vite. Les Meunier ont laissé ça propre. Et puis, ce n'est pas bien compliqué d'organiser une place pour vendre des chinoiseries. Vous n'allez pas vendre du poisson cru, toujours?

Fin renard, il détournait la conversation vers moi.

– Non. Non. Le poisson cru, c'est l'affaire des Japonais. Non, je ne vends que du sec. Des foulards de soie, du thé, de vieilles assiettes en porcelaine sans nourriture dedans !

– Ouais, parce que je lui ai dit, à votre agent d'immeubles, que je ne voulais pas de restaurant de poisson cru ici, pas de Japonais, et surtout pas de Chinois.

J'ai décidé d'ignorer le vil de son propos, et j'ai enchaîné rapidement :

– Vous tombez à point, monsieur Lapointe. Je voulais vous demander s'il y avait une place de stationnement pour moi à l'arrière.

– Certainement qu'il y en a une ! Juste au pied de l'escalier, à l'arrière de l'édifice. Cette place-là est réservée pour vous. Vous vous mettrez une petite pancarte. Votre homme Bisaillon est stationné là. Vous ne le saviez pas ? Vous êtes mieux de surveiller vos moutons, mademoiselle Matthews. Il n'y a que les gens qui veillent au grain qui réussissent en affaire.

– Soyez sans crainte, monsieur Lapointe, je vois à mes affaires, et l'argent pour votre loyer est dans mon compte en banque.

– Je n'en doute pas, avec l'héritage de ton grand-père.

J'ai contracté les muscles de mon ventre pour contrecarrer l'impact de ses paroles. Il était passé du *vous* au *tu,* donnant plus de vélocité à ses mots. Les affaires de mon grand-père ne le regardaient pas.

– Bon. Jean m'attend. Je vous laisse à votre marche matinale, monsieur Lapointe. Bonne journée.

Et je me suis remise à fouiller dans mon sac à la recherche d'un vingt-cinq cents.

Mais monsieur Lapointe avait encore une blague qui le démangeait :

– Ma femme arrive de Floride en fin de semaine seulement. Elle stationne sa voiture dans le numéro 18. Tu pourrais mettre ton *rickshaw* là, en attendant. Hé, hé !

Faisant mine de me saluer, il a touché le bord de son panama sans me regarder, et s'est remis à marcher.

J'ai hésité avant de reprendre mes clés d'auto. Je n'avais pas envie d'accepter cette faveur offerte sans gentillesse. C'était les décisions du genre que je trouvais difficiles à prendre. Vendre et acheter de la marchandise, c'était de la petite bière à côté des relations humaines.

J'ai farfouillé encore dans mon sac et dans mon esprit pour comprendre que je n'avais ni de vingt-cinq cents ni de raisons de refuser une solution facile. Tous les vieux en ville connaissaient les circonstances de la bonne fortune de mon grand-père. Ils savaient qu'un notaire d'un bureau de Westmount lui avait annoncé, un jour, que la propriété sur la pointe lui avait été léguée. L'argent des autres était toujours un passionnant sujet de conversation.

Monsieur Lapointe n'était pas plus mesquin que les autres.

J'ai saisi mes clés ; *allons pour le stationnement.* J'ai inscrit dans mon cerveau qu'il faudrait que je garde une réserve de vingt-cinq cents pour payer le parcomètre des clientes. Et en me tournant vers mon auto, j'ai aperçu le visage de *Bis*... de Jean à travers la vitrine barbouillée de la boutique. Je lui ai envoyé la main.

8

Li et ses comparses avaient facilement vendu leur stock de limonade. Leur boisson, et les charmes délectables de Li, faisaient désormais partie des plaisirs du Peak. Déjà, « le beau » avait supplanté le prénom de Li[2], et il était de notoriété publique que ces jeunes offraient une limonade de qualité supérieure. Ils ne lésinaient pas sur le charbon pour faire bouillir l'eau nécessaire à sa confection, et ils ne chipaient que des citrons au derme lustré sur les quais où ils travaillaient comme coolies. On faisait sucer les citrons par les matelots, sur les bateaux, afin qu'ils ne perdent pas leurs dents en mer. Les garçons s'étaient récompensés de leur après-midi en redescendant les flancs abrupts du Peak à bord du funiculaire. Coolies de père en fils depuis le premier bateau étranger dans la rade, ils

---

2. Il est d'usage, en Chine, de faire précéder le prénom du nom de famille.

n'avaient guère l'habitude de se laisser transporter. Leur cœur manquait un battement à chaque secousse de l'engin mécanique. Ils se gardaient de laisser errer leurs pensées et de s'imaginer des scènes abominables, comme un bris mécanique, un frein qui flanche et une chute libre qui se terminerait dans la rue, tout en bas. Li s'efforçait de respecter la maxime «traverser le danger comme on traverse la paix», et il fixait son attention sur l'intérieur luxueux du wagon. Bancs en bois verni, cuivres étincelants, allée balayée; même l'uniforme en laine du conducteur indien semblait fraîchement repassé. La manie des Anglais de tout astiquer donnait le lustre des grands jours au quotidien. L'enseigne *No spitting in the car*[3], à l'intention des passagers chinois, était superflue. Aucun d'eux n'aurait envisagé de souiller un wagon immaculé. Cette pensée était si loin de Li qu'il avait toujours cru que sur cette enseigne se lisait *Passagers, demeurez assis.*

Le bon sens aurait dicté aux jeunes vendeurs de limonade de payer la montée en funiculaire, avec le double de rafraîchissements dans leurs sacs, et ainsi doubler leur profit. Mais la pauvreté coulait à contresens de la logique. Les sous gagnés arrondissaient leur paye de coolies et passaient le soir même dans les petites échoppes de la ville et dans

---

3. Ne pas cracher dans le wagon.

les mains de leurs parents. Les garçons leur remettaient sans sourciller la plus grande partie de leur pécule. Voilà pourquoi on les mettait au monde : pour assurer les vieux jours de leurs géniteurs.

Li n'avait que sa mère, mais elle était aussi avide d'argent qu'une famille de huit bouches à nourrir. Sa bouche à elle ne se délectait plus de nourriture. Sa bouche ne formulait plus qu'une seule requête : « Donne-moi mon opium. »

Li réussissait néanmoins à la maintenir en vie et la forçait tous les soirs à avaler un bol de *congee* chaud. Ce gruau, fait à base d'une poignée de grains de riz bouillis durant des heures, donnait une laite nourrissante, favorable aux intestins les plus ravagés. On pouvait l'agrémenter de fruits secs, d'herbes médicinales, de déchiquetures de viande ou de débris de nourriture trouvés par terre près des étals du marché et jugés dignes d'intérêt.

Li achetait deux bols de *congee* en fin de journée à l'échoppe du quartier. Chez le gros Wong. Li y mélangeait de la pâte de crevettes produite pour l'exportation en grande quantité sur les rives, près du port. Dans le bol de sa mère, il ajoutait aussi des baies de *goji* sèches et bien rouges, qu'il gardait dans un sachet, dans sa poche. Il essayait de retarder le moment où l'opium lui arracherait complètement la vue. Dans son propre bol, il saupoudrait une cuillère d'os de buffle pulvérisé, car à son grand étonnement, il grandissait encore. Le buffle a la charpente solide, et demeurer droit, quand on est de grande taille, est un défi que l'on ne peut affronter sans aide. Li n'en finissait pas de devenir un homme. Il le constatait à ses épaules qui s'élargissaient à la même vitesse que son pantalon semblait rétrécir, et à la vigueur de sa troisième jambe, qui n'avait rien des besoins d'un garçon.

L'heure du souper approchait, et avec lui, l'attroupement quotidien à l'échoppe de Wong le gros, auréolée de vapeur de riz et de fumée de charbon.

Faire la file ne faisait pas partie des mœurs quotidiennes, et les mégères jouaient du coude à qui mieux mieux pour faire remplir leurs contenants en métal, dont la taille variait en fonction de celle de leur famille. Aussi pauvres soient-elles, aucune de ces femmes n'aurait eu l'idée de préparer son propre *congee,* tellement Wong le gros demandait un bon prix. Il faisait mijoter son *congee* toute la journée dans de vieilles jattes d'argile jamais récurées. C'était la clé de la saveur réconfortante de son gruau légendaire. Puis, il recommençait le soir même, pour le *congee* du lendemain matin. Le dernier-né des Wong passait la nuit assis sur un tapis de bambou, sous le comptoir, afin de s'assurer qu'aucun malandrin ne déguerpisse avec les pots cuisant sur leurs trépieds de fonte, au-dessus du charbon incandescent. Les logis minuscules des quartiers populaires n'étaient guère aménagés pour la cuisson lente. Le combustible était onéreux, l'air frais rare, et allumer le charbon dans des pièces mal ventilées était périlleux. On risquait d'étouffer ses fils. Les femmes ne cuisinaient que le vite frit dans une poêle en fonte qui chauffait rapidement. Une tête de poisson, quelques tranches de gras de porc, des feuilles vertes ou du radis blanc ; le tout d'un seul trait, avec de l'ail, un filet d'huile et une aspersion de soya en sauce.

C'était au tour de Li.

– Deux bols pour toi, Li ?

Des perles de sueur s'accrochaient à la poitrine nue et charnue du gros Wong.

– Oui, comme d'habitude, répondit Li en lui tendant sa gamelle au couvercle bosselé.

Les mégères se tenaient près de lui, non avec l'impatience qui les caractérisait à l'heure des repas, mais avec des yeux pâmés. Il était beau, Li, et sa présence rendait l'attente exquise.

– Il me semble que tu as encore grandi depuis la dernière lune, mon Li, dit Wong le gros.

Li sourit. Il avait l'habitude qu'on lui parle de son corps, de son visage, de son apparence.

Wong continua de sa voix portante :

– Grand-mères et mères, j'aimerais vous faire croire que c'est mon *congee* qui a fait pousser cette gerbe de gamin, mais mon gosier n'est fait que pour la vérité, et je dois dire que ce garçon a hérité du gabarit de son père. Pas de doute ! Sa mère peut bien être la dernière des traînées, c'est son père, Tin Hau le garde, qui a engendré ce petit dragon.

Li baissa les yeux à la mention de son père. Les femmes commentaient les assertions du marchand, et que des étrangers, dans la rue, connaissent davantage son père que lui, l'humiliait.

Les femmes trouvaient Li encore plus irrésistible lorsqu'il était pris dans sa gêne.

Habituellement, les femmes ayant enfanté une fille regardaient les hommes avec un seul but, marier cette dernière. Mais même les femmes avec des filles laides, stupides ou autrement affligées auraient gardé Li le beau pour elles. Leur imagination transportait malgré elles cet homme magnifique dans leur lit et le faisait gémir de plaisir en elles.

Toutes se souvenaient de Li le père, un solide gaillard, un brin voyou, avec des yeux aguicheurs. Ces attributs l'avaient fait s'embarquer à bord du *clipper Crimson Sun* en partance pour Singapour, pour ne jamais revenir. «Le père était attirant, se disaient-elles, mais le fils est sublime, ensorcelant.» Elles n'avaient qu'à constater la moiteur entre leurs jambes pour savoir qu'il possédait un pouvoir surnaturel.

La singularité de Li avait avivé le fiel de la plus ratatinée des mégères :

– Quel animal es-tu, jeune homme ? Tu as vu le jour pendant quel calendrier ? Celui du Tigre ? Du Serpent ? Ou peut-être es-tu un diable avec une traînée pour mère et la beauté pendue à ton corps. Sûrement que ton père avait quitté notre rive bien avant que tu sois de notre monde. Il a déguerpi en 1890, ton père, n'est-ce pas ? Tu n'as certainement pas vingt ans d'âge avec cette peau de fesses de poupon encore tendue sur tes joues !

Li se tourna pour faire face à la voix acariâtre.

Le gros Wong ricana, mais la question l'intéressait. Sa louche pleine de liquide gluant pendait dans les airs, au bout de sa main, en attente de la réponse du jeune homme. Les femmes firent chacune un pas pour se rapprocher de Li, conscientes de la chance que leur offrait cette question : elles pourraient regarder de plus près le visage splendide du jeune homme.

C'est vrai que sa peau était d'un grain exceptionnel.

– Je ne réponds pas à l'indiscrétion, même avec tout le respect que je vous dois, grand-mère, répondit-il. Et ma mère n'est pas de petite vertu. Elle a une santé fragile et c'est un docteur anglais, dans un vrai cabinet de Queen's Road, qui lui a prescrit ses premières doses de médicaments.

– Ta mère se soigne à l'opium, garçon.

– C'est ce que je viens de vous dire, grand-mère.

Les joues de Li avaient rougi parce qu'il avait fait l'effort de parler d'un sujet personnel. Spécialement celui-ci. La vilénie de la vieille femme, la proximité des autres et les jarres remplies de gruau fumant lui donnaient chaud. Il devait s'éclipser avant que monte une vague de colère qu'il ne pourrait contrôler.

Il se retourna vers le comptoir de Wong et y posa avec emphase la gamelle qu'il tenait toujours au bout de son bras. Le son du métal qui cogna contre le granit creva la bulle dans laquelle cet échange les avait tous réunis et la louche termina sa trajectoire dans la gamelle de Li.

– Voilà deux bols pour toi, Li.

Wong avait retrouvé son train habituel, mais la vieille n'avait pas dit son dernier mot.

– Donne-lui un bol en plus pour son serpent. C'est moi qui le paie.

Li sentit que la voix s'était rapprochée, que la vieille était juste derrière lui.

Il ne bougea pas, mais son sang se remit à bouillir.

Wong avait saisi l'injure, mais n'était pas du genre à manquer une occasion d'affaires. Il replongea la louche dans sa jarre.

Li leva la main droite pour signifier à Wong de freiner le mouvement de l'ustensile. Il se retourna lentement et se retrouva face à la vieille femme. Il lui dit calmement :

– Je ne vous ai pas dit que j'étais Serpent et je n'ai nul besoin de votre charité.

– Ce n'est plus de ton âge, dont je discute. Le serpent dont je parle n'a qu'un œil. Tu en as un. Aussi sûr que tu es debout devant moi. Je le vois malgré ton pantalon. Je le sens. Et il est lisse et beau comme le reste de ta chair. Tant d'attributs réunis dans le corps d'un seul homme, ce n'est pas naturel. Je ne comprends pas pourquoi le diable ne t'a pas encore repéré. Je ne sais pas comment tu as réussi à le flouer, mais il n'est pas dupe. Il te rattrapera, Li le beau. Peu importe l'animal de ta naissance, c'est ton serpent qui te damnera.

Li perçut l'écœurant plaisir que ressentaient les clientes à assister au spectacle dans lequel il se faisait piéger. Il voulait frapper la vieille pour la faire taire, fracasser les jarres de *congee* sur les pieds des commères qui se délectaient de la tournure des événements, marquer les seins flasques de Wong avec une brique de charbon rouge ; il voulait fuir.

Mais plutôt, il dit à la femme, assez fort pour que la petite foule l'entende :

– Grand-mère, votre langue est aussi sale que le tissu qui bandait les pieds de votre mère.

Puis, il lui tourna le dos, mit le couvercle sur sa gamelle d'une main ferme et, de l'autre, déposa un sou sur le comptoir.

Wong ne toucha pas au sou.

Li inspira, empoigna sa gamelle et traversa la foule en se dirigeant chez lui.

• • •

Le souper fut en retard dans tous les foyers de la rue ce soir-là. Et en préparant sa recette pour le lendemain, Wong le gros pensa que la beauté du jeune Li laissait présager le pire.

9

La mère de Li, couchée dans la pénombre, n'attendait pas spécifiquement son fils. Lorsque les vapeurs sublimes de l'opium n'endormaient plus son corps, l'attente, cette démone pestiférée, l'occupait en entier. Elle attendait le retour du *Crimson Sun,* depuis longtemps fracassé contre un récif corallin ; son fils éthéré – parfois, elle ne savait plus s'il était dans son ventre ou s'il en était sorti ; la prochaine dose de drogue que l'on récoltait des pavots somnifères, dans un pays dont le nom lui échappait ; l'haleine rance d'un matelot ivre respirant dans son cou. En émergeant de ses torpeurs sur sa natte de bambou souillée, le souffle court et les tripes nouées, elle attendait surtout la mort et l'oubli.

Mais la mort l'avait encore ignorée, et livrée à l'insupportable de la vie ; une pensée tangible traversa son esprit : *mon opium.*

Le dimanche et les jours de fête, elle adorait son fils, car il descendait de la montagne à la brunante avec des pièces de monnaie sonnantes dans ses poches. Il lui tendait l'argent et elle exultait. Son amour, alors, rayonnait sur tous les êtres et sur son enfant chéri. Elle lui trouvait le visage tranquille et les pommettes saillantes et pensait qu'il pourrait gagner sa vie comme sage, en posant paisiblement son regard sur les gens. *On paierait le prix fort pour qu'il nous regarde, celui-là,* pensait-elle. *Il n'a même pas besoin de sourire. Il peut garder ses dents larges pour lui.* Et elle était heureuse de penser au lait qu'il lui avait tiré pour faire pousser ses dents blanches, bien carrées, et s'émerveillait qu'elle, une pauvre femme, ait pu mettre au monde un homme si parfait.

Mais Li tardait à rentrer, et son cerveau et son corps haletants, en attente de leur drogue, lui envoyaient un message altéré :

Li n'est qu'un coolie imbécile,
Qui travaille sur un quai poisseux,
Pour un minable contremaître blanc,
Qui ne paye ses hommes qu'à la tombée du der-
nier jour inscrit sur la page de son
Minable calendrier de Blanc.

Le salaire de son fils et les sous gagnés sur la montagne ne suffisaient plus. L'abîme délicieux de l'oubli n'était accessible que grâce à un flot ininterrompu d'argent. Quand son corps quémandait, rugissait, se décomposait dans la carence, madame Li détestait son enfant et n'arrivait plus à respirer. L'opium lui ouvrait les bronches.

Au début de sa grande peine, dans le mois suivant le retour prévu de son jeune mari, un poing s'était logé dans sa poitrine et son souffle courait toujours une mesure au-devant d'elle. Irrattrapable. Elle était descendue tous les lundis sur le quai de la Indo-China Steam Navigation Company. Pour écouter les nouvelles des hommes qui revenaient de la mer. Dans les premiers mois, elle avait parcouru la distance entre son logis à flanc de montagne et le port avec Li dans ses bras. Puis, quand l'espoir l'eut quittée et que ses jambes la portaient aux quais par habitude, Li avait fait ses premiers pas et flageolait sur les siennes. Ils habitaient alors un taudis collé au port avec une fenêtre donnant sur la baie.

Toutes les semaines, les coolies lui disaient la même chose insupportable : aucune nouvelle du *Crimson Sun* ou de son équipage.

À force de courir après son souffle, le poing dans sa poitrine avait durci et des taches noires avaient fini par entraver sa vue et lui dérober le souvenir du visage de son mari.

Un lundi, après des années d'attente, le plus vieux des coolies embauchés par la compagnie lui avait finalement dit :

– Vos questions ne sont plus pour le quai, veuve. C'est dans le bureau du contremaître qu'il vous faut faire entendre vos lamentations. On a trouvé la proue du *Crimson Sun* enlisée dans un banc de sable au large de l'île aux Lézards. Tout l'équipage est perdu. On vous doit de l'argent.

Ses jambes avaient failli en entendant ces paroles qui lui apprenaient l'irrévocable. Le vieux lui avait tendu la main pour l'aider à se relever.

– Merci, grand-père.

– Mauvais augure pour un coolie de se prendre pour un marin. Nos mollets sont faits pour la terre, pas pour les mers. Tin Hau ne protège pas les insolents. Votre mari a probablement fait couler le bateau entier. Ne laissez pas votre fils commettre la même erreur.

– Je m'en souviendrai, grand-père.

Dans le bureau du contremaître, le clerc essayait d'être expéditif. Les démonstrations des veuves l'impatientaient. Il n'approuvait pas l'embauche d'hommes mariés. Mais faire naviguer une flotte de cargos à vapeur titanesques exigeait un tel nombre de bras que la compagnie ne se permettait pas de les sélectionner.

Le clerc prit un livre épais, l'ouvrit et indiqua à madame Li, en anglais, que la procédure d'indemnisation des veuves de marins se détaillait sur la page qu'il lui montrait.

Elle répliqua d'une main que l'anglais, elle ne le parlait pas, et qu'elle ne lisait aucune langue.

Sans sourciller, le clerc ouvrit un tiroir et fit apparaître un registre. Il enfila un gant de coton blanc sur sa main tourneuse de pages, et s'affaira à trouver le nom de monsieur Li parmi ceux qui y étaient parfaitement alignés. Quand il parut avoir trouvé, il arrêta son manège et poussa le registre vers elle. Il lui dit cette fois, dans un cantonais sommaire, de faire une marque à côté du nom de son mari : « Là, à côté du troisième nom sur la liste. Vous savez sûrement compter ! » Madame Li obtempéra, et le clerc lui annonça que la compagnie lui devait quatre livres sterling.

Les taches devant les yeux de la mère de Li s'étaient massées pour former un voile opaque et elle avait demandé une chaise en s'agrippant au comptoir.

Le clerc, ne sachant que faire avec les femmes, et encore moins avec leur détresse, avait disparu en empruntant la porte derrière lui, pour demander du renfort au contremaître.

Le contremaître au sourire lippu avait pris la relève. Il ferma la porte consciencieusement, contourna le comptoir, et tira deux chaises, une pour madame, et l'autre pour lui. Il invita la jeune veuve à s'asseoir, et l'aida, dans son désarroi, à s'installer en lui soutenant légèrement le bas du dos. Un geste charitable en apparence, mais qui lui permettait d'évaluer la croupe de la pouliche esseulée. *Très satisfaisant*, se dit-il.

Le contremaître était à la tête d'une petite affaire fort lucrative. Sa position, à la Indo-China Steam Navigation Co, lui donnait accès à un bassin sans cesse renouvelé de milliers de jeunes corps prêts à tout pour améliorer leur sort. Il servait de rabatteur pour des Occidentaux fortunés ayant une prédilection pour la jeune chair jaune. L'un de ceux-là, médecin de son état, appréciait particulièrement les services du contremaître, car la clientèle asiatique boudait sa pratique de la médecine blanche.

Depuis le temps que madame Li vadrouillait sur les docks à espérer des informations au sujet de son mari, il avait eu l'occasion de lorgner ses traits agréables, et de conclure que son corps était souple, et ses seins, fermes comme des mandarines. Une excellente candidate pour les appétits du médecin.

En s'assoyant à son tour, il s'inclina légèrement vers elle en lui disant, dans un cantonais qui lui caressa l'oreille : « Mes condoléances, madame. »

Il s'installait pour lui parler, mais il aperçut Li, au pied du comptoir. « *Blessed Mary,* que vois-je ? »

Il se souvenait que madame Li traînait un rejeton avec elle, mais le petit visage avait toujours été gardé des regards et du soleil sous un large chapeau de bambou.

Mais dans le bureau, découvert, ce visage avait fait oublier à son corps de respirer. Lui qui se targuait d'avoir satisfait les goûts des plus exigeants savait que *cette enfant* vaudrait une fortune aux yeux d'une certaine clientèle.

Il demanda à sa mère quel âge avait sa *ravissante gamine.*

– Ce n'est pas une fille, mais que vous le pensiez allège ma douleur, répondit-elle.

La réponse le prit de court.

– Que voulez-vous dire ?

– Vous êtes un homme instruit. Si je vous ai dupé, j'ai aussi dupé le diable. Il ne ravit pas les filles.

– Je vous avoue que votre subterfuge est complètement réussi. Votre fils est tout le portrait d'une fille avec ses cheveux longs, ses cils retroussés et sa robe délicate.

– Voilà qui sonne comme une chanson aux oreilles d'une pauvre mère. Le moine borgne du temple a lu dans ses bâtons de fortune que ce garçon était particulièrement à risque.

– Je n'en doute pas un instant.

Le contremaître n'avait pas quitté des yeux le bambin, qui cherchait le meilleur chemin pour retrouver les jambes de sa mère, sans se retrouver dans le champ de vision de cet homme calculateur.

Le contremaître porta son attention sur le sujet le plus pressant : de la chair pour son ami médecin.

Il posa ses yeux sur la mère pour la jauger, tel un maquignon, et l'encourager à discuter. Elle se décontracta grâce à la feinte mansuétude du contremaître, et sentit le goût de lui confier :

– Patron, perdre mon mari me tuera certainement, mais si le diable me prenait mon fils, je n'aurais pas de repos dans ma tombe. Voyez comme il est lourd.

Elle avait soulevé Li, arrivé à ses côtés, et l'avait assis sur les genoux du contremaître. Elle avait toujours manqué de discernement.

– Vous ne mourrez pas, madame, dit le contremaître en remettant l'enfant par terre. J'ai un ami médecin. C'est un grand ami et un excellent médecin. Ou un excellent ami et un grand médecin. Hé, hé, prenez-le dans le sens que vous voulez. Il sait même soigner la tristesse. Son nom est docteur Keats. Son cabinet est en face de la poste, sur Queen's Road. Vous avez sûrement déjà vu son enseigne. Si vous le permettez, ajouta-t-il, je vais vous laisser son adresse. Vous n'aurez qu'à lui dire que c'est moi qui vous envoie.

– Ce n'est pas la peine d'écrire cette adresse, patron. Je n'irai pas chez votre docteur blanc. Je ne crois pas en votre médecine, et c'est de mon mari dont j'ai besoin. Votre docteur magicien ne pourra pas me le rendre.

Mais l'homme écrivait déjà avec soin le chiffre qu'elle reconnaîtrait et le nom de la rue, Queen's Road, en anglais.

On cogna de l'autre côté de la porte fermée. Le clerc revenait avec l'indemnité de madame dans une petite enveloppe faite de papier ciré rouge.

– *Thank you, Sutter,* dit le contremaître d'un ton indiquant qu'il maîtrisait la situation.

Sutter disparut de nouveau.

– Madame, nous ne voulons pas vous presser, mais… Avez-vous la force de vous relever, maintenant ?

Elle se releva doucement, bougeant discrètement son bassin afin d'évaluer la capacité de ses jambes à la porter. Elle lissa sa longue chemise de coton et dit :

– Ça va mieux, maintenant.

Elle ressemblait à une petite fille au saut du lit, exquise dans sa déconfiture.

– Madame, je vous remets cette modeste somme en joignant mes condoléances personnelles à celles de la Indo-China Steam Navigation Company.

Elle fit deux pas pour recevoir l'enveloppe, sous laquelle le contremaître avait mis le papier avec les coordonnées du docteur Keats.

– N'hésitez pas à consulter le docteur Keats, et à vous en remettre à ses bons soins. La vie de veuve est parsemée d'épreuves. Il sera ravi de vous aider, j'en ai la certitude.

— Je n'aurai ni le temps ni les moyens de me pavaner chez le médecin. Ces quatre livres ne dureront pas avec cet enfant qui pousse comme un chaton de tigre. J'ai déjà tout vendu ce qui était achetable pendant ces années d'attente. Il me faudra dégotter du travail ou un autre mari. Les deux sont aussi difficiles à attraper qu'une puce sur le dos d'une panthère.

— Ne vous inquiétez pas pour le paiement chez le docteur Keats, c'est un homme raisonnable. Vous saurez trouver un arrangement.

— Merci, patron, mais je n'ai pas l'habitude de demander la charité.

— En parlant de travail, lorsque ce petit sera en âge de faire quelque chose qui vaille, envoyez-le-moi. Je lui trouverai un boulot rémunéré. Je vous promets de m'occuper particulièrement de lui.

— Merci encore, patron.

— Je vous en prie. Et n'attendez pas trop longtemps, il faut donner aux garçons le goût du travail avant que surgissent d'autres désirs.

L'esprit de madame Li, non aguerri aux façons anglaises, jongla un instant pour bien saisir toutes les nuances de cette dernière phrase. En vain. Mais le ton du contremaître l'avait mise mal à l'aise, et elle voulait quitter ce bureau.

– Nous avons une dette envers vous, madame Li. Votre famille s'est sacrifiée pour la gloire marchande de Hong Kong. Nous ne l'oublierons pas.

Elle fourra l'enveloppe dans sa poche, empoigna Li, dit merci de nouveau et sortit du bureau.

Le contremaître se dit que ça avait été une bien profitable journée.

•••

Ni elle ni Li ne revirent ce contremaître.

On le trouva dans une caisse de théières destinées à l'Angleterre.

Il manquait à l'appel depuis des jours lorsque des employés commencèrent à se plaindre d'une odeur pestilentielle provenant d'un hangar reculé de la compagnie. Quand l'odeur devint insupportable, on donna l'ordre de passer en revue les caisses empilées méthodiquement jusqu'au plafond. On envoya des hommes munis d'ouvre-caisses, mais le seul coup d'œil d'un coolie avec du métier avait suffi : la caisse numéro 6 était placée à l'envers, tout en haut de la caisse numéro 5. Le 6 formait un 9. Anomalie. Cette caisse avait été déplacée. Et les coolies savaient par qui. Le dragon avait fait du ménage.

On ouvrit la caisse : à l'intérieur, le contremaître, avec son sexe fourré dans la bouche, testicules compris, s'était vidé de son sang.

The China Mail écrivit quelques platitudes pour expliquer cette affaire. Mais chacun connaissait la réputation du contremaître. Et les pratiques de ce dernier ne se rapportaient pas dans les pages d'un journal bienséant. «Bon débarras», affirmèrent les coolies. Plusieurs avaient eu des tractations misérables avec le contremaître. «Bon débarras», aurait dit aussi madame Li, si elle avait encore eu ses esprits. Mais quand le dragon avait frappé, elle était déjà tombée dans les griffes du docteur Keats.

• • •

Fixant les seins de madame Li, découverts par sa blouse déboutonnée, le docteur Keats avait juré à la mère de Li que «parmi les remèdes que Dieu Tout-Puissant avait donnés à l'homme pour atténuer ses souffrances, nul n'était plus noble et plus efficace que le *papaver somniferum*.» Il lui avait offert un échantillon gratuit, avec une pipe en os ouvragé, et l'outillage nécessaire pour son initiation aux vapeurs miraculeuses. Puis, un deuxième échantillon. Madame Li était menue et sous-alimentée: une demi-dose suffirait à la noyer dans l'extase. La troisième fois, en manque et les pupilles dilatées, elle avait foncé dans le bureau du médecin, réclamant une dose. Prête à tout pour ressentir de nouveau l'unique ivresse de la drogue occuper chacune de ses cellules.

Calme, Keats l'avait informée du coût de la drogue. Il avait laissé la force de ce chiffre frapper en pleine gueule le besoin qu'il avait fait naître, et il avait ajouté qu'un simple homme de science n'avait pas les moyens de fournir une patiente en *médicaments* sans une modique rétribution.

Ils avaient conclu une entente et élaboré un calendrier pour leur marchandage. Il dosait la drogue afin de maintenir les discrètes rondeurs asiatiques de madame Li, qui le hantaient. L'opium finirait par manger la chair de la femme, mais en contrôlant sa consommation, il pourrait jouir d'elle plus long-temps. Il la recevait tôt le matin, avant que son se-crétaire se pointe, et au moment de la journée où son membre répondait encore à ses ardeurs.

Se donner au docteur Keats était facile. Avec son gros ventre tapissé de poils gris et ses odeurs de ta-bac de pipe, elle ne le qualifiait pas d'homme véri-table. Il ne comptait pas. Il ne possédait ni charme ni beauté, et pas plus de finesse, dans l'accouple-ment, qu'un chien. Il lui demandait de se dévêtir, puis de se coucher sur le ventre, sur sa table d'aus-cultation, avec les genoux ramenés sous elle. Il la regardait longuement, et sous tous les angles, il frô-lait ses orifices d'un toucher médical, puis il mon-tait sur un tabouret, déboutonnait son pantalon et la prenait par-derrière, sans même qu'elle s'aperçoive que son petit sexe était en elle. Elle ne se salissait pas. Elle le faisait pour l'opium. La plus merveilleuse maîtresse qu'un être puisse espérer. L'opium lui avait redonné la nonchalance de sa jeunesse, le calme de la vie d'avant son mari.

Elle ne comptait pas les fois où elle se donnait, sur la table du médecin. Le calcul, les inquiétudes, les vertiges, les souvenirs, en fait une foule d'émotions inconvenantes s'étaient dissoutes grâce au traitement du docteur Keats. Elle en vint même à remercier la mer d'avoir avalé son mari. Elle serait liée à Keats pour la vie.

Mais un jour, déambulant sur le large pavé de Queen's Road, bienheureuse dans l'expectative de sa ration imminente, elle ne vit pas, au loin, que l'enseigne noire du cabinet, sertie d'un serpent en métal doré, avait été décrochée. Lorsqu'elle arriva à la porte familière, le métal du cadenas qui pendait à la serrure lui glaça le sang. Elle frappa sur la lourde porte en bois. Aucun bruit à l'intérieur. Impossible! Jamais le docteur Keats n'aurait manqué un de leurs rendez-vous. Jamais! «Jamais! Jamais il ne m'abandonnerait sans m'avertir! Docteur Keats! Docteur Keats, c'est moi, madame Li! Où êtes-vous? Keats, salaud! Où es-tu? Tu ne peux pas me laisser! Porc! Fornicateur galeux!» Elle criait plus fort et tapait encore plus sur la porte, au fur et à mesure que l'inconcevable devenait réalité.

Les passants traversaient la rue afin d'éviter l'opiomane hystérique qui martelait la porte du charlatan anglais.

L'opium, jusque-là toléré par les autorités chinoises, était subitement tombé en défaveur. Les gouvernements chinois et américain, et d'autres qui possédaient des intérêts colossaux en Asie, voulaient casser le monopole des marchands anglais qui échangeaient l'opium contre du thé et d'autres denrées. Alors, invoquant la moralité et la santé publique, on négociait, à Shanghai, un traité d'éradication de la traite de l'opium à l'échelle mondiale. Les triades de Hong Kong avaient profité de l'occasion pour s'emparer du marché. Désormais, la drogue circulerait grâce aux triades. Elles embauchaient des bandes de jeunes illuminés chinois, qu'elles gonflaient à bloc de sentiments patriotiques et anticolonialistes afin qu'ils se débarrassent des établissements qui avaient ouvertement fait le commerce de la drogue. Tous les moyens étaient permis.

On avait embarqué Keats sur le premier bateau pour l'Angleterre avec sa femme et ses enfants. Un article paru dans un journal cantonais populaire, dénonçant ses pratiques douteuses, et accompagné d'une caricature de lui en cochon impérialiste, avait suffi à le décourager à revenir pour reprendre sa pratique de la médecine.

Avec Keats étaient disparus l'opium de qualité et l'oubli exquis qu'il procurait. La panique s'était emparée de madame Li, puis elle était tombée dans la misère. Jusque-là, le travail de Li sur le quai avait suffi pour subvenir à leurs besoins, et le commerce discret de sa mère avec Keats payait pour sa dépendance. Li n'avait pas posé de questions : sa mère se médicamentait et elle vivait tranquille.

Jusqu'à ce qu'elle commerce avec les abjectes triades.

L'existence de sa mère s'était mise à tourbillonner comme une roue de fête foraine qui avait happé Li et mis en péril l'équilibre de leur existence. La rage et le désespoir consumaient madame Li. Elle n'était en paix que lorsqu'elle reposait dans ses coûteuses stupeurs. Le salaire du quai ne suffisait plus, et l'argent de la limonade du dimanche disparaissait en fumée. Alors, madame Li s'était offerte à Malesain, la tête dirigeante de la faction des truands qui contrôlaient le lucratif trafic d'opium dans le port. Il n'avait pas voulu de son corps endommagé. Mais enfoncer son sexe dans la bouche d'une femme qui aurait pu être sa mère réveillait ses viles ardeurs. Il l'avait fait travailler. Des heures durant dans son repaire infesté de rats, entre le marché et les quais, dans les odeurs écœurantes de sa saleté et de sa sueur. Elle avait cessé de manger à ce moment-là. Elle avait disjoncté et franchi définitivement la frontière qui séparait le monde des vivants et celui dans lequel elle s'était enlisée. Son cœur était mort, mais son corps continuait de réclamer de l'opium.

Maintenant, elle ne pouvait guère quitter la pièce dans laquelle elle habitait ni se lever de sa natte. Alors, Malesain avait conclu un marché avec elle : de la drogue contre des marins. Le système était le suivant : quand un bateau de marchands blancs entrait dans la rade, et quand elle se sentait disposée, elle plaçait, sur le manteau de sa fenêtre, un petit drapeau que Li avait récupéré après une fête en ville. Puis, elle attendait. Les marins blancs étaient aussi immondes qu'ignares dans leur empressement à vider leurs bourses puantes. N'importe quel être portant une jupe faisait l'affaire. Une femme coûtait moins cher qu'un bain. Ils arrivaient à deux ou à trois, faisaient la file pour se soulager, ne s'apercevant ni de la maigreur de madame Li, ni de son âge, ni des taillades que la dépendance avait laissées sur son visage. Dans leur empressement, ils confondaient la chétivité avec la jeunesse et n'avaient pas encore appris à soupeser la valeur d'une femme asiatique. Ils débarquaient du bateau.

Ce n'est pas dimanche. Désespoir.

Impossible de dire combien d'heures il lui fallut pour se lever de sa natte après avoir eu cette pensée. Son cerveau et son corps se désynchronisaient lorsqu'elle était en manque de drogue, et elle

10

Li arriva chez lui au pas de course. Il voulait oublier le souvenir du marché et les voix des mégères qui résonnaient encore dans sa tête. Il voulait se mettre à l'abri du quartier et retrouver le silence de son logis. Même si l'état de sa mère lui devenait de plus en plus insupportable, chez lui, il était protégé de la laideur humaine. Il monta les marches quatre à quatre en se disant que le *congee* n'aurait pas trop tiédi.

– Tu es réveillée, mère ? Bon sang, quelle odeur, je vais lever le store.

Elle ouvrit les yeux et vit qu'une silhouette déposait une gamelle par terre.

– Tu ne t'es pas encore levée aujourd'hui ? Tin Hau ! Tu empires tous les jours.

Elle reconnut cette voix sans pouvoir dire à qui elle appartenait. Elle avait l'impression que la présence de cette voix n'était pas souhaitable, que ce n'était pas celle qu'elle attendait.

Li s'affairait à démêler les cordons effilochés du store, pris dans le pic en bois qui supportait le petit drapeau qui traînait dans le logement. Il ne se souvenait pas de l'avoir mis sur le bord de la fenêtre.

– Lève-toi, maman, il est l'heure de manger.

Elle ne saisissait pas les mots provenant de la silhouette. Ils lui venaient aux oreilles en sons continus, sans qu'elle en distingue les césures. Mais la voix était bonne. Et elle aurait voulu qu'elle reste avec elle, même s'il était urgent de la faire partir. Elle devait dire quelque chose pour qu'elle s'en aille.

Le store ouvert laissa entrer un filet d'air et de lumière. Elle s'aperçut que la silhouette tenait le drapeau dans une main, et ses idées s'éclaircirent.

– Remets ce drapeau à la fenêtre, chuchota-t-elle.

– Pardon ? M'as-tu parlé, maman ?

Li regardait par la fenêtre ; il voyait les coolies décharger un bateau et se demandait s'il devait descendre sur le quai pour leur prêter main-forte, après s'être occupé de sa mère. Le contremaître avait toujours quelques sous dans son tiroir pour ceux qui venaient donner un coup de main afin que le travail soit fait plus rapidement. Il détourna la tête pour faire répéter sa mère et la vit dans le reste de clarté.

Il vit un spectre, et son cœur se serra :

– Maman, ma petite maman…

Elle fut encore sensible à la douceur de cette voix, mais au même moment, un vacarme composé d'autres voix envahissait sa tête. Des voix criardes, tapageuses, grossières. Puis, elle entendit des coups frappés sur du bois.

Il y avait eu un chahut à l'entrée, de l'agitation dans l'escalier, puis on avait frappé. Li fit deux pas vers la porte, mais elle s'ouvrit d'elle-même avec violence, et trois hommes se bousculèrent en meuglant pour être le premier à la franchir. Il s'agissait d'un Chinois avec une gueule de désaxé et de deux Blancs qui puaient la pisse et la charogne. Cheveux gras, barbes hirsutes, vêtements crasseux : c'étaient des marins qui débarquaient. Le Chinois s'arrêta sec. Il avait reconnu le fils de madame Li. Impossible de le confondre avec quelqu'un d'autre. Il se retourna vers les marins pour les enjoindre à déguerpir. Trop tard.

L'un deux avait déboutonné sa braguette et tenait son sexe mi-dur ; prenant Li pour un proxénète, il ouvrit sa bouche aux dents pourries et cracha les dernières paroles de sa vile existence :

– Où est ta putain ?

Le bras de Li partit de lui-même et alla frapper l'abdomen dénudé du marin. Li ne pouvait se souvenir, après coup, s'il avait conscience de tenir dans sa main le petit drapeau attaché à un pic en bois. Pourtant, quand il retira le pic du corps du marin, et qu'il sentit la peau de celui-ci se déchirer et qu'il entendit le sifflement de l'air s'échappant à l'unisson de la bouche ouverte et du bide éventré de l'homme, il avait atteint un point de non-retour. Il enfonça de nouveau le pic dans le corps de l'homme, puis encore et encore.

Les deux autres rufians étaient stupéfaits. C'était un cauchemar rouge. Le sang avait giclé, O'Dell gisait par terre comme un pantin désarticulé, et le bras du forcené n'arrêtait pas de le poignarder dans le ventre. Les deux autres voulurent se diriger vers la porte encore ouverte, mais en vain.

Une boule de feu, qui tourbillonnait comme une furie, entrava leur fuite. Ils furent projetés contre le mur face à la porte par la simple force qui émanait de l'apparition. La boule tourbillonna pendant une seconde au-dessus de la tête de Li, toujours à l'œuvre sur la dépouille d'O'Dell. Le mouvement circulaire refroidissait l'air, comme au passage d'un ouragan. La boule ralentit son mouvement, et passa du rouge à l'orange, et ensuite au jaune, puis au vert brunâtre, et les deux hommes constatèrent, pantois, qu'un dragon énorme sortait du noyau tourbillonnant. Le dragon demeura suspendu au-dessus de Li qui leva finalement la tête et regarda le ventre de la bête. Lung ramassa délicatement le jeune homme avec les serres de ses pattes arrière et le mit contre son ventre. Puis, elle replia ses pattes avant et son long cou de serpent pour envelopper Li, et forma de nouveau une boule qui se remit à tourner dans un jet multicolore.

Ils disparurent dans la nuit, par la fenêtre, à une vitesse qui dépassait l'entendement.

sauvages éparses qui s'accrochaient au ballast du chemin de fer séparant le stationnement en terre battue de la rivière, plus bas.

D'autres autos arrivaient presque en silence. Des employés de la banque et de la Caisse populaire. Ils s'extirpaient de leur voiture, vêtus d'habits ou chaussés de talons hauts, ce qui détonnait avec l'aspect arrière-cour des lieux. Les travailleurs s'étiraient, inspiraient jusqu'au plus profond de leurs poumons, se recueillaient un instant dans le soleil du matin, avant de se diriger vers les tubes fluorescents qui éclairaient leur quotidien, *sac à lunch* à la main.

Le stationnement avait des allures de *cour à scrap* avec sa verdure en friche et ses contenants à rebuts en métal rouillé, marqués par les graffiteurs et les matous en rut. Néanmoins, plusieurs commerçants avaient soigneusement aménagé l'arrière de leur boutique. Brique peinte, boîtes à fleurs ornant les sorties de secours, terrasses coquettes construites en bois traité, pour le lunch, les pauses et les besoins de nicotine de leurs employés.

Au-dessus du camion blanc de Jean, le mur de notre bâtisse était plutôt triste, noirci par la suie et percé de trous ayant jadis servi à la ventilation. L'escalier de secours, ainsi que l'étroite galerie en métal qui donnait accès à chacun des étages de notre édifice, étaient en mal de peinture. Les portes également. Sauf celle du barbier, fraîchement peinte et égayée par une colonne bleu, blanc et rouge. Le barbier attirait ainsi les personnes qui se trouvaient à bord des bateaux de passage sur la rivière et les gens qui s'arrêtaient au quai de la marina, sur la rive, juste en face. Il mettait son mur à profit.

– Maman arrive dans une minute, ma chouette, a dit la mère en anglais. Elle tirait sur une roue récalcitrante de la petite voiture d'enfant. Puis, elle m'a regardée par-dessus son épaule et m'a dit en riant qu'elle passait le plus clair de ses journées à plier et à déplier cette *damned* poussette.

– *I can imagine !* ai-je répondu.

Leur fourgonnette avait été immatriculée au Vermont, où le grand lac prenait naissance.

La petite s'était aventurée sur la butte qui se terminait sur la voie ferrée. Son chapeau de coton fuchsia se détachait du bleu du ciel comme un drapeau.

La mère restait absorbée par son combat contre les articulations de la poussette.

Par instinct, je me suis dirigée vers la fillette. Par instinct, aussi, j'ai sondé le fond de l'herbe haute avant d'y mettre le pied, me disant que les *pitous* de tout acabit, bondissant des véhicules de leurs maîtres, y laissaient leur carte de visite.

Posant un premier pied, j'ai relevé la tête. Le chapeau fuchsia avait disparu de l'horizon. Montant la butte, le cœur serré, je ne sentais plus mes pieds et encore moins la terre ou les détritus qu'ils foulaient.

Fausse alerte.

La petite reposait sur ses fesses, au bas de la butte, à un mètre de la rivière. Elle riait. J'ai glissé sur mes talons, dans l'herbe encore humide de rosée, jusqu'à la petite.

– *That was fun !* m'a-t-elle dit en rigolant quand j'ai atterri à ses côtés.

– *Yes, but be careful not to fall in the river.*

– *No ! No ! Water ! The water will be very cold !*

Elle avait mis l'accent sur le *very*, en faisant de gros yeux apeurés. Elle était vraiment mignonne.

– Alice ! a crié sa mère.

La voix a retenti au-dessus de nos têtes.

– *Hi, mommy !*

Je me suis retournée vers la mère, qui était debout sur la partie la plus haute du monticule, et j'ai crié :

– *She's O.K. !*

À cet instant, la mère a pointé son index dans notre direction pour attirer mon attention sur la petite.

Elle se rapprochait du bord de l'eau, attirée par quelque mouvement sur la grève.

– *Dragonflies ! Look, dragonflies ! Mommy, dragonflies !* a-t-elle lancé en regardant sa mère.

C'était magnifique. La petite avait repéré huit ou dix libellules bleues, et d'autres vertes, qui se pourchassaient en tourbillonnant dans les rayons du soleil.

– *Beautiful!* s'extasiait l'enfant.

Leurs doubles ailes délicates scintillaient et on pouvait percevoir leur vrombissement dans le silence du matin.

La mère a déboulé la butte à son tour, et elle a pris la petite par une main.

– *Beautiful dragonflies, right, mommy?*

– *Yes, darling, dragonflies are beautiful.*

– *Thank you*, me dit-elle d'une voix de mère qui cherchait à enrayer la peur qui l'avait envahie quelques instants plus tôt.

– Comment dire «*dragonfly*» *en français?*

– Libellule, ai-je répondu.

– Libellule. Libellule. Un nouveau mot pour moi. Merci!

Elle m'a expliqué, dans un français approximatif, qu'elle et sa fille suivaient un cours de français-poussette.

– Tu as compris, Alice? Libellule. Peux-tu dire «libellule»?

– *I love dragonflies, mommy.*

J'ai ri. J'ai empoigné l'autre petite main de l'enfant. Une main chaude, sortie il n'y a pas si longtemps du ventre de sa mère, et qui se refermait encore sur elle-même. Et nous avons remonté la butte du même pas, tandis que la maman m'expliquait que sa fille adorait les libellules, les dinosaures et les dragons, et que sa chambre était tapissée d'un papier peint de libellules fuchsia, sa couleur préférée.

– Alors, j'ai un petit cadeau pour elle, si vous permettez que je le lui donne.

Je pensais à un foulard diaphane, au motif de libellules, que j'avais dans l'une de mes boîtes.

– Bien sûr. Merci.

Nous étions de retour près de nos voitures.

– Juste un instant, c'est dans le coffre, à l'arrière, ai-je dit en retrouvant mes clés.

Les foulards étaient dans les boîtes que j'avais mises au fond.

– Libellule-*dragonfly,* libellule-*dragonfly…*

La petite papotait et la mère lui répétait :

– Libellule-*dragonfly…*

Je me suis penchée dans le coffre afin de dégager les grosses boîtes.

– Eurêka !

J'avais réussi à empoigner deux boîtes légères qui ne pouvaient contenir que des foulards.

Je l'extirpais du coffre quand j'ai entendu la voix de la petite :

– *No mommy, not dragonfly, dragon !*

Et la mère de préciser : *dragon-fly, not dragon*.

– Oui, maman. Là, sur le mur ! Un dragon géant ! a dit Alice, en anglais.

Je me suis retournée, la boîte dans les bras, et j'ai regardé dans la direction que montrait le petit index. Et aussi clair que le jour, j'ai vu ce que mon œil n'avait pas discerné auparavant. Graduellement, les contours d'un dragon sont apparus, dessinés sur les briques noircies du mur de la bâtisse.

J'en ai eu le souffle coupé.

– Wow, ai-je dit finalement.

– Oui, wow ! a ajouté la maman.

– *Beautiful dragon, right mommy ?*

– *Yes, darling, that's a really big dragon.*

Il semblait circonscrit dans un grand carré qui délimitait l'aire de mon local, avec la porte au beau milieu du ventre et la tôle cerclant un ancien tuyau de ventilation à la place de l'œil. Sa queue massive était roulée en serpentin afin de figurer entièrement dans ce cadre défini. Son corps de reptile puissant entourait ma porte brun délavé et se terminait plusieurs pieds plus haut par une tête à la mâchoire carrée. Ses quatre pattes aux serres d'aigle semblaient posées sur des nuages formés par des démarcations plus pâles dans la brique, comme des taches de calcaire.

Hallucinant.

Nous étions toutes les trois subjuguées.

Le ventre du dragon s'est subitement fendu. Le gros Jean en a émergé et nous a envoyé la main.

Fin de notre ensorcellement.

– As-tu besoin d'aide ? a-t-il demandé d'en haut.

J'ai envoyé la main à Jean.

J'ai déposé les boîtes à nos pieds, et soulevant les foulards trois par trois, j'ai trouvé celui au motif de libellules roses et mauves et je l'ai tendu à la petite en disant en français :

– Un petit cadeau pour toi.

– Oh ! Des libellules roses, maman ! a dit la petite, en anglais, en prenant le foulard avec délicatesse dans ses petits doigts dodus.

– *Say* merci, *Alice.*

– De r-i-en ! ai-je dit à la petite dans un français de travailleuse en garderie.

– *O.K., lets go, Alice, we're already late for our class !*

– Allez, bon cours. Bon cours, Alice ! Bye, bye !

La petite s'est installée dans sa poussette en tenant le foulard serré contre elle.

– Dis bye, bye, Alice !

– C'est *une belle dragon,* m'a dit la petite en guise d'au revoir.

– Très bien, Alice ! a lancé la mère, sentant tout à coup que les cours de français valaient peut-être bien l'investissement.

12

– T u ne trouves pas que ça ressemble à un dragon?

– Je ne connais rien à ces bibittes-là, a répondu Jean, mais c'est vrai que ça ressemble à quelque chose de préhistorique. À Memphré, je dirais. Ça fait drôle de le voir là.

– C'est la petite fille qui me l'a fait remarquer.

– Sacrés enfants, y a qu'eux pour voir ce qu'on a en pleine face. Nous, on fonctionne sur le radar.

– As-tu des enfants, Jean?

– Non…Toi?

– Pas d'enfants.

Un silence gêné a suivi ces trois phrases qui sonnaient comme un aveu de notre échec. J'ai rapidement cherché quelque chose d'autre à dire pour briser cette ambiance lourde.

– Jean, il me semble que le Memphré et les dragons n'ont rien de préhistorique. Ce ne sont que des bêtes sorties tout droit de l'imaginaire humain.

– Comme je t'ai dit, je connais rien à ces bibittes-là, mais Memphré, y est dans le lac depuis le temps des Indiens. J'suis pas fou : c'est prouvé. Et ça fait longtemps en titi.

Des gouttelettes de sueur se sont mises à dévaler les tempes blond-roux de Jean, ajoutant à l'effet de sa lèvre supérieure continuellement humectée de cette rosée. Il s'est penché vers le coffre ouvert de mon auto. Il a soulevé les boîtes, ce qui indiquait que le sujet était clos.

J'avais échoué *psycho 101*. Mais j'ai tenté un nouvel essai diplomatique :

– Tu vas me trouver achalante, mais trouves-tu qu'il y a une espèce de cadre autour du dragon ?

J'ai senti qu'il était soulagé que je lui propose un sujet de discussion plus terre à terre.

– Ça, c'est probablement la marque laissée par la galerie vitrée, «la porche», comme ils disaient à l'époque. C'était tout en bois, à part les vitres, évidemment. La plupart des bâtiments de la rue avaient une «porche». Mais le bois, ça finit par pourrir, et ça coûte moins cher de tout enlever que de refaire. Dommage.

– Donc, le dragon serait apparu à l'intérieur de la galerie vitrée ?

– Ouais. Si la bibitte a été dessinée à cette époque-là. On remonte au début des années 1900.

– Dessinée ? Jean, ce sont les briques qui ont noirci comme ça. Par hasard.

– Y a pas de hasard là-dedans. Impossible.

Mais qu'est-ce que j'avais donc à toujours le contredire ? J'ai opté pour le silence. Il a poursuivi :

– Ça a été fait avec de la graisse ou quelque chose de gras. Montons, et je vais te le montrer. Après, tu vas voir autre chose de surprenant dans le local.

Sans effort, portant les deux grosses boîtes dans ses bras couverts d'un duvet de la même teinte que ses cheveux, il s'est dirigé vers l'escalier.

J'ai fermé le coffre et l'ai suivi, transportant mes deux boîtes de foulards.

– Madeleine m'a dit que ça faisait longtemps que le local abritait une galerie d'art.

– Ouais. La galerie d'art date de bien avant nous. Et «les porches» qui donnent sur la rivière, ça date d'avant. D'avant monsieur Lapointe.

Il avait dit *avant nous*. Et des vapeurs de honte m'ont encerclée dans le colimaçon de l'escalier de métal.

C'était la deuxième fois que je rencontrais Jean depuis mon retour, dans son enveloppe d'adulte. J'aurais voulu lui dire quelque chose sur nos écorchures d'enfance, sur notre préhistoire. Nommer mon mutisme, ma lâcheté et ses tourments, mais quels mots pouvaient panser les blessures d'une autre époque ?

Sitôt sur la galerie, il a déposé les boîtes et s'est mis à gratter le noir des briques avec l'ongle de son gros pouce.

– Tu vois? C'est ce que je pensais: du gras. Comme de la graisse Crisco qu'on aurait mise sur le mur. La graisse a attrapé la suie et la saleté des trappes de ventilation, et à la longue, ça a pénétré la brique. Et pour de bon. Ça prendrait un jet de sable puissant pour enlever une grosse tache de graisse comme ça.

J'ai déposé mes boîtes pour mieux voir, en disant:

– Bien oui, tu as raison! avec trop d'emphase.

Heureusement, il y avait la bête pour me faire taire. Je me suis approchée encore, j'étais presque collée contre elle, et mes mains ont parcouru son contour délibéré et continu. Chacun des pores de la brique ressemblait à un microscopique cratère lunaire, vu de près. Toutes leurs parois étaient noircies. Impossible que ce soit le fruit du travail inopiné du temps. Le maître d'œuvre de ce monstre avait visé la perfection et la permanence. Le noir de la saleté incrustée dans la matière grasse avait complètement investi la brique. Il la possédait.

De si près, on perdait le détail de la bête, mais on en ressentait l'immensité, l'immensité du travail et de la violence de l'émotion qui avait habité son auteur. Cela donnait le vertige, et quand j'ai levé la tête pour voir celle au bout du cou puissant de serpent, j'ai dû saisir la rampe de la galerie en métal pour retrouver mon aplomb.

Jean continuait de gratter la brique avec la pointe de l'une des clés de son énorme trousseau de geôlier des temps modernes.

J'ai gardé les yeux fixés sur le dos de Jean, et j'ai compté dans ma tête. À neuf, je me sentais à peu près mieux. Capable de me retourner pour contempler l'horizon. Le chemin de fer traçait une ligne qui se perdait dans l'espace, tant à gauche qu'à droite. La rivière et la décharge du lac se rencontraient dans un coït intemporel, juste là, de l'autre côté du petit pont, et les corps massifs des érables et des chênes, comme des survivants aux ambitions des développeurs de la ville, donnaient des relents de photo sépia au paysage. On devait partir de loin pour débarquer à la gare du majestueux lac, à l'époque des galeries vitrées, à l'époque où le Battles House Hotel, un hôtel chic tout en bois ouvragé, siégeait à la place du McDonald's au bord de la rivière, et que des fortunes se bâtissaient dans ce pays nouveau.

Ce matin, la rivière coulait de son débit soutenu du printemps et des ouvriers mettaient les quais à l'eau à la marina.

Tranquille.

Normal.

– On devait être bien, ici, les après-midi d'automne, avec la galerie fermée et cette belle vue sur la rivière, ai-je dit.

– Ouais… Si on avait la possibilité d'en profiter. Je pense que dans ce temps-là, on travaillait pas mal fort à l'automne pour se préparer pour l'hiver. Les gens pensaient pas à regarder dehors.

– Peut-être. Mais quelqu'un a eu le temps, ou l'a pris, et a laissé ce dragon sur le mur pour les générations à venir.

– Pas juste sur le mur. Rentre en dedans, et tu vas voir que notre Michel-Ange avait du temps à revendre.

– Qu'est-ce que tu veux dire?

– Tu vas voir.

13

Jean a ouvert la porte sur un nuage de gypse suspendu dans le soleil du matin.

Le silence aurait dû régner. Le silence strident de la poussière qui flotte. Davantage odeur que son. Mais des bruits de barrage défoncé ont envahi ma tête, et le vertige du balcon m'a saisie de nouveau. Cacophonies, staccatos de machines, de roues qui tournent, de turbines chauffantes, de vapeur, de ressorts, de cymbales d'opéra cantonais, de notes de piano répétées, *do-fa, do-fa, do-fa*, l'accablement de l'ouvrage de bras. Et je me suis vue propulsée dans les bras de l'autre ville, dans tes bras, dans nos réveils de bruits de cité en construction, d'effluves de riz. L'odeur sèche d'homme de la Chine. La tienne.

— Sylvie !

Jean m'avait rattrapée par une épaule avant que je bascule dans le vide.

— Es-tu correcte ? Attends une seconde.

Il avait étiré un bras, en me retenant de l'autre, pour empoigner un seau en plastique lourd d'apprêt pour les murs.

— Tiens, assis-toi là-dessus.

— Merci.

— Mets ta tête par en bas.

Je l'ai écouté.

— Merci, Jean. Excuse-moi. Je ne sais pas ce qui m'arrive ce matin.

— Prends ton temps. T'as peut-être monté les marches trop vite.

Il aurait préféré que mon malaise ait une raison physique. Simple. Mais je n'étais pas douée pour le simple.

— Non, c'est moi, Jean, c'est dans ma tête, c'est le retour, et puis ça m'a mise à l'envers, ce dragon sur le mur.

— J'imagine que c'est un choc de revenir de la Chine et de se réaccoutumer à ici.

J'avais la tête entre les mains. Je regardais mes pieds. C'était facile de leur parler :

— C'est que… J'ai laissé quelqu'un là-bas. Que j'aimais. Un homme. Et on dirait que je ne suis pas encore revenue d'Orient. Ou que mon corps n'est pas revenu. Et parfois, quand je ne m'y attends pas, un bruit, un rayon de lumière, ou une odeur me frappe comme un maillet. Ce matin, ça a été l'odeur dans le local.

– L'odeur d'empois, tu veux dire ?

L'empois ! J'avais oublié cette odeur. Blanche, comme celle du riz.

– Mon doux, c'est vrai que l'air sent l'empois. Il y a longtemps que je n'ai pas senti cette odeur propre des chemises de mon grand-père.

– Y a pu personne qui utilise l'empois de nos jours.

– C'est vrai. Mais c'est plutôt l'odeur du riz que j'ai sentie quand je suis entrée. J'ai eu le nez envahi par une senteur de vapeur de riz, et on dirait que ça m'a renvoyée en Chine. C'est ridicule, mais ça m'a étourdie... C'est passé, maintenant.

Jean n'a pas répondu.

Le fait de lui parler m'avait permis de retrouver les points cardinaux, de me concentrer sur la douceur de ce matin ensoleillé, et sur son silence. Je me suis redressée en remerciant de nouveau Jean. Et derrière lui, à travers le halo de poussière en suspension, j'ai vu un tableau inimaginable.

Le plâtre du mur s'était effondré et avait mis à nu sa structure sous-jacente, ancienne, c'est-à-dire un squelette de lattes horizontales. Mais il ne s'agissait pas d'habituelles vieilles lattes à la pâleur calcaire ; elles étaient bariolées de noir, de gribouillages, d'encre indélébile, partout. Partout. Sur chaque millimètre de chacune des lattes de bois, de méticuleux caractères d'écriture verticale chinoise.

– Jean, le mur…

– C'est ce que je voulais te montrer.

– Mon dieu, on dirait une page de livre !

– Ouais. Un pas mal grand livre.

Je me suis levée pour mieux voir le mur d'écritures. Mes pas ont soulevé la fine poudre de gypse qui tentait de trouver le repos au sol.

Les phrases ou les missives étaient formulées de haut en bas, comme on écrivait avant la réforme de Mao, au début des années 1950. Elles s'entassaient, côte à côte, en colonnes serrées. Les mêmes caractères se répétaient. Ils jouaient du coude pour envahir en entier l'espace disponible sur chacune des lattes. Les mêmes caractères, la même phrase, la même complainte.

Un grand pan de plâtre du mur le plus long du local rectangulaire s'était effondré. Et une encoche dans le vieux plâtre du mur avant, celui de la vitrine donnant sur la rue, laissait voir les lettres calligraphiées sur les lattes en partie dénudées.

– C'est incroyable, Jean !

– Ouais… J'étais pas mal surpris quand le plâtre m'est resté dans les mains, a dit Jean. Les rails en laiton, sur lesquels les Meunier accrochaient les toiles, ont été vissés à plusieurs endroits pour les consolider au fil des années. L'humidité et le temps se sont mis là-dedans, et même en faisant ben attention, le plâtre a suivi le rail que j'ai enlevé du grand mur.

– Penses-tu que toutes les lattes, sous le plâtre, sont couvertes d'écritures ? lui ai-je demandé en parcourant les lattes du bout des doigts, comme s'ils pouvaient m'aider à décrypter ce message.

– Possible. Celui qui est responsable avait l'air bien parti.

– Mon doux. Je me demande ce qui est écrit, et qui a bien pu faire ça !

– J'sais pas. Mais je gagerais que ce peinturlurage, et le dragon sur le mur, dehors, sont du même auteur.

J'ai reculé de trois pas pour embrasser l'ensemble des idéogrammes.

– Wow, je n'en re-viens pas !

Tous ces mots me volaient mon bien-dire.

– Le savais-tu déjà ? m'a demandé Jean sur le ton de quelqu'un exclu d'une conversation qui le concerne.

Je me suis tournée vers lui :

– Qu'il y avait des mètres d'idéogrammes chinois sous les murs de plâtre ? Absolument pas, Jean ! Je n'ai jamais mis les pieds ici. C'est Madeleine qui a loué le local.

– C'est tout un hasard de trouver ces chinoiseries, quand c'est un magasin chinois que tu vas ouvrir.

– D'accord avec toi.

– Le chinois, c'est dans ton karma, qu'on pourrait dire !

– On pourrait dire ça ! Je dirais même que j'en ai eu pour mon argent ! Mais veux-tu bien me dire ce que signifient ces écritures ? C'est toujours les mêmes caractères qui se répètent.

– C'est à toi de me le dire ! Tu ne lis pas le mandarin après toutes ces années passées là-bas ?

Jean s'était assis sur sa glacière électrique. Je l'ai suivi en posant un bout de fesse sur mon seau, tout en lui répondant :

– Je connais quelques idéogrammes de termes utiles, comme celui des toilettes des femmes ou celui du thé ou du métro. Pas plus. Je n'ai jamais étudié le mandarin. Mais de toute façon, ces écritures, ici, ne sont pas celles de la Chine actuelle. Elles datent d'avant la révolution.

– Ah oui ? Ils l'ont changée, comme après la révolution en France ? a demandé Jean en prenant une gorgée de son Pepsi, posé par terre près de la glacière.

– Je ne pourrais pas te dire. Les deux révolutions doivent avoir des points en commun, mais je ne suis pas une spécialiste. La langue est une arme puissante, et Mao a imposé le mandarin comme langue officielle pour unifier son énorme pays. Les habitants parlaient d'innombrables langues et dialectes, selon la région où ils vivaient. Mon homme chinois, celui dont je te parlais tout à l'heure, vient d'un village où le dialecte est indéchiffrable par les habitants du village voisin. Ça favorise le sentiment d'appartenance quand tout le monde parle la même langue.

– Et le contrôle ! a ajouté Jean.

– Ça, c'est clair !

J'ai enchaîné :

– Il a réformé l'écriture aussi, dans le vrai sens du terme ; il l'a simplifiée, soi-disant pour faciliter l'alphabétisation de la masse. C'est certain qu'au moment de la révolution, il y avait des centaines de millions d'analphabètes en Chine. Mais c'était surtout une façon de couper l'herbe sous le pied des érudits qui pouvaient le vilipender avec leurs billets et leurs publications. En remettant à zéro le système d'écriture et en renvoyant tout le monde à la maternelle, il désarmait les intellectuels. C'était pas mal brillant.

– Puissant, a-t-il déclaré.

– Cette belle écriture, sur le mur, ce n'est pas l'écriture simplifiée d'aujourd'hui. Regarde la complexité des idéogrammes. Elle doit être prérévolutionnaire ou elle est peut-être l'œuvre d'un Hongkongais, car la ville n'a pas été touchée par la révolution. C'est en train de changer depuis leur rétrocession à la Chine, en 1997 ; mais ces murs-ci ont été barbouillés bien avant 1997 !

– Ça date de cent ans, disons.

Dire que ces mots dormaient là, cachés depuis cent ans… Ils nous ont saisis, et nous nous sommes imposé un moment de silence aussi lourd qu'un tombeau égyptien.

Un silence que j'ai brisé :

— J'essaie de comprendre. Viens-tu de me dire que les lattes ont cent ans ou que les murs de plâtre ont cent ans ?

— Tout est vieux, puisque c'est une vieille bâtisse, a répondu Jean, avec une pointe de moquerie dans la voix.

— Évidemment ! Bon, je pose ma question autrement : les lattes et le mortier que l'on voit, où le plâtre est tombé, c'est la structure du mur ?

— Exactement. Les lattes clouées en travers des solives retiennent le mortier. Je pense que dans le temps, ils appelaient ça le lambris d'appui. C'est l'ancrage pour le plâtre.

— Et le plâtre, ça n'ajoute rien à la solidité du mur ; c'est simplement esthétique ?

— Ouais… C'était la finition. Ce n'était pas facile d'étendre ce plâtre-là comme un pro. Plâtrer des murs, à l'époque, c'était un art. Pas comme aujourd'hui, où n'importe quel clown peut visser des feuilles de cloison sèche.

— Donc, ceux qui ont écrit sur les lattes ont défait le plâtre de finition et l'ont refait après ?

Jean a réfléchi deux secondes :

– Tout est possible dans ce bas monde, mais ça me surprendrait. C'est beaucoup de travail. Moi, si j'étais René Angélil, je mettrais ma piastre que le plâtre date d'après les écritures.

J'ai poursuivi le raisonnement :

– Peut-être que les écritures datent d'avant la galerie d'art, et que les Meunier ont fait faire le plâtre quand ils ont emménagé.

– Possible. Moi, ce qui m'étonne, c'est que l'encre n'ait pas saigné dans le bois. Ces lattes-là n'étaient pas sablées, et puis c'était souvent du bois pas mal vert. L'encre aurait dû baver un peu dans les imperfections du bois. D'après moi, l'encre est spéciale ou de qualité supérieure.

Je me suis détournée du puzzle d'écriture, et j'ai regardé Jean :

– Tu ne sais pas qui occupait le local avant les Meunier ?

– Non, mais tu pourrais mettre Madeleine sur le dossier.

– Qu'est-ce que tu veux dire ?

– Je veux dire qu'elle te tourne autour pour obtenir le mandat de vente de la maison sur la pointe. Fais-la travailler pour son argent. Demande-lui de faire une petite recherche à l'hôtel de ville pour en connaître plus sur ton local. Elle a l'habitude de toute façon.

– Hum... T'es brillant, Jean.

Jean a encaissé le compliment en l'ignorant, puis a tapé ses genoux avec le plat de ses mains pour clore le sujet, et s'est levé en disant :

– Là, on fait quoi ? Ça change les plans que le plâtre nous tombe dessus. Je peux pas juste boucher les trous, sabler et peindre par-dessus. C'est pour ça que je t'ai appelée. Je pense que ce serait mieux de recouvrir le vieux plâtre de cloison sèche.

J'ai dû faire une drôle de tête, parce qu'il a poursuivi sans reprendre son souffle :

– Je sais que le fait de repartir en neuf, ça peut te sembler plus long et plus cher. Mais tu vois les rails de laiton tout le long des murs ?

J'ai suivi des yeux le tour d'horizon qu'il a effectué de son index.

– Je t'assure, Sylvie, qu'il a ajouté, que chacune des vis dans chacun de ces rails va emporter un gros pan de plâtre quand je vais tirer. Et qu'en fin de compte, on n'aura pas le choix de tout recouvrir avec de la cloison sèche. Pis t'auras payé du temps en salaire pour rien, et moi, j'aurai perdu du temps précieux.

Et il a laissé tomber ses bras, les paumes par en avant, comme un avocat déposant le plaidoyer final d'un long procès.

Je sentais que je devais m'y prendre en douceur :

– Je te crois, Jean. Et je te fais confiance pour le travail…

Il a respiré, et j'ai ajouté :

– Mais je suis incapable d'envisager de couvrir ces symboles sans savoir ce qu'ils veulent nous dire. Je ne peux pas ! T'as pas le goût de découvrir ce qui se cache sous tout ce vieux plâtre ? T'es pas curieux de voir s'il y a des écritures sur les autres murs, ou même d'autres signes ? Et t'as pas envie de savoir ce qu'ils signifient ?

– Oh non, oh non ! Euh ! Je veux dire oui, ce... ce serait l'fun de le savoir, mais non. Non ! Moi, je n'ai pas le temps de m'amuser à démolir des murs, et je n'ai pas le temps d'attendre que le cuisinier de chez Won Ton, pour le plaisir, vienne déchiffrer ce charabia sur des kilomètres de lattes. On est à la fin mai, et mes clients m'attendent...

– Je le répète : t'es un génie, Jean ! Depuis tantôt que je me demande qui pourrait nous déchiffrer tout ce texte ! Et tu as trouvé : quelqu'un du resto chinois ! Ces vieux restos de campagne sont toujours tenus par des Cantonais ! *Yes !*

Jean a fait comme si je n'avais pas bondi dans les airs :

– Je suis sérieux, Sylvie. J'ai pas le temps.

Son ton exigeait que je l'écoute, mais il n'a rien ajouté. C'était encore à moi :

– Jean, je ne peux pas ignorer ce qui est devant moi.

Silence.

Je me suis aperçue que j'avais placé mes mains sur mes hanches et que mes bras formaient des triangles pointus, comme les anses d'un sucrier. Laids. Je les ai laissés tomber mollement. Et Jean a dégrafé sa lourde ceinture chargée d'outils. Il s'en est délesté en la déposant sans bruit sur le plancher.

J'ai apprécié cette délicatesse.

— Jean, je m'engage à t'aider à défaire le plâtre. Je suis capable de manier un marteau et un ciseau à bois ou même une masse.

Il me regardait sans trace d'émotion sur son visage.

Je négociais, mais je me livrais aussi :

— Je sens que c'est important de comprendre le fond de cette histoire. Ce n'est pas un caprice de fille de riche, Jean. De toute façon, je ne suis pas une fille de riche ! Mais j'ai un passé en Chine, et je me sens profondément interpellée par ce qui est écrit sur ces murs.

Il s'est frotté les yeux avec le pouce et l'index d'une seule main. Les miens aussi me piquaient dans cette poussière. Son regard d'yeux pâles, vulnérables aux éléments, est réapparu, et il a dit calmement :

— Je ne te prends pas pour une fille de riche. On se connaît depuis longtemps, et je sais d'où tu viens. C'est juste que j'ai des clients fidèles qui m'attendent, et que l'été s'en vient pour tout le monde.

– C'est clair. Je m'engage à rester pour travailler ce soir et toute la nuit, et je travaillerai autant de soirs qu'il le faudra pour terminer la démolition au plus vite. Et je m'engage à trouver rapidement quelqu'un pour me lire ce qui est écrit sur les murs.

Puis, j'ai fait une croix sur mon cœur, au-dessus de mon sein, en souriant, et j'ai ajouté «je te le promets». Je l'ai senti se détendre.

– T'as aucune idée comment c'est salaud, défaire du vieux plâtre.

Il avait capitulé.

– Jean, je suis plus endurcie que j'en ai l'air.

– On va voir ça.

1910

14

Lung coucha Li sur un matelas en coton rembourré, mince, ferme, confortable, parfait. Elle posa sa tête sur un oreiller en porcelaine confectionné par le meilleur céramiste de la dynastie Song. Dans les nuits de chaleur moite, on disait que dormir sur l'un de ces oreillers de porcelaine au glacis frais était aussi ravissant que dormir sur une brique de lard figé, et que son bleu mousseux procurait des rêves aux délices innommables.

Lung voulait offrir le meilleur à Li, un sommeil sans trouble où le sang navigue sans heurts dans les veines, un repos organique, dépourvu d'angles. Un sommeil qui chaulerait le sordide.

Les quartiers personnels de Lung occupaient en entier le deuxième étage de sa maison en granit rose et des portes-persiennes à claire-voie donnaient sur une loggia. Le toit en céramique glacée, aux saillies gracieusement retroussées, se fondait dans le feuillage du Peak. Les femmes de la haute, qui prenaient le thé tous les mardis dans le salon de l'épouse du Commodore Booth, répétaient, le souffle court dans leurs baleines victoriennes, que la demeure de leur élusive voisine mariait avec flair le meilleur de l'architecture de l'Ouest et de l'Asie.

Le style n'importait pas à Lung. Elle avait conçu l'ample terrasse protégée pour ses envols et ses atterrissages discrets au bercail. Elle y avait atterri à la tombée de ce jour avec Li enlacé dans ses serres.

D'autres jours, Lung quittait son refuge comme une femme, en empruntant l'escalier à l'arrière. Un escalier de bois peint du même vert tendre que les volets. Les bourgeoises ignoraient qu'aucun autre escalier que celui-là ne menait à l'étage. Mais ses servantes le savaient bien.

– Pas d'escalier sur la façade avant. Pas d'escalier à l'intérieur, avait dit le gentleman écossais qui s'occupait des affaires de Lung, à l'architecte embauché pour tracer le plan de la demeure.

– Loufoque, avait répondu l'architecte.

– Soit, mais les femmes riches ont droit à leurs excentricités. Ma cliente protège sa vie privée.

– J'ai peu de patience avec les femmes riches. Moins de plaisir aussi, ajouta-t-il sur un ton impudique, que l'Écossais choisit d'ignorer. Il avait plutôt dit :

– Je le répète, un seul escalier. C'est moi qui parle ; c'est elle qui paie, et elle a un sacré tempérament. Je vous considère avisé.

Depuis, une troisième génération de servantes arpentait l'escalier en bois. Elles montaient des seaux d'eau chaude pour les bains, descendaient des cuvettes pleines, ajustaient les battants des volets afin d'aérer la pièce durant les longues absences de Lung, chassaient les insectes qui tentaient d'envahir la grande chambre tranquille. C'était le travail d'une vie, et d'aucunes s'en plaignaient. Leur maîtresse parlait peu et franc, et le salaire du mois à venir reposait toujours sous la jardinière en porcelaine, au pied de l'escalier. Les servantes ne prenaient leur dû que lorsque la lune retrouvait sa plénitude, mais elles soulevaient souvent le pot tout au long du mois, pour se donner du courage et pour le plaisir de voir le métal de la monnaie reluire au soleil.

Une décoction de pétales de pivoines cramoisies avait donné leur couleur aux murs de la pièce. Ce pigment agrémentait le jour et diffusait un halo crépusculaire sur les nuits réparatrices des occupants. Un cercle de dragons ornait le plafond. Des dragons étranges, aux dires des servantes habituées à l'iconographie locale, et peints une écaille à la fois par un vieux maître quasi aveugle, dans une déclinaison de couleurs marines. Des dragons sans cornes, avec un cou sinueux et des ailes à la mi-corps. Des ailes petites et pointues qui rappelaient aux servantes celles que les cormorans faisaient sécher sur les rives de l'île. Les dragons avaient des palmes à la place des serres, et ils semblaient nager au plafond, au lieu de voler, comme on s'y serait attendu. Lung avait décrit ces dragons inconnus au vieux maître, qui les avait vus ondoyer sur le voile laiteux recouvrant ses yeux usés. Couché sur le dos dans l'échafaudage en bambou dans lequel il peinait à monter, il s'était laissé transporter dans une contrée lointaine, au gré des gris et des bleus de sa palette, dans un lieu où les dragons palmés sont maîtres des eaux froides.

La chambre était chaude ce soir, empreinte des odeurs d'une journée de mai.

Li dormait.

Lung descendit l'escalier avec les deux pichets de sa bassine pour la remplir d'eau du puits. Le puits s'enfonçait dans les entrailles de la montagne, et l'eau en sortait, glaciale.

Le grincement de la poignée du puits alerta la cuisinière qui dormait d'un sommeil léger en raison de son vieil âge.

– Fais chauffer de l'eau pour un bain, puisque tu es levée, dit Lung à la vieille femme, et laisse les seaux au pied de l'escalier. Je les monterai. Je ne suis pas d'humeur à endurer une vieille femme qui se casse la figure, cette nuit.

– Je peux réveiller l'une des petites sœurs.

– Non. Laisse-les dormir. Je serai à la maison pour quelque temps. Vaut mieux qu'elles soient reposées.

– Bon.

– Et fais taire la poignée du puits. Elle m'irrite.

Le garçon avait chaud. Les plaques de sang séché sur son visage miroitaient dans la lueur tamisée des lampes accrochées aux murs. La sueur de Li redonnait une teinte rouge vie au sang du marin assassiné, comme l'eau ranime les pastilles d'aquarelle sur une palette.

Lung abhorrait les ventilateurs automatisés, une invention diabolique qui produisait un bruit intenable. Elle avait succombé aux supplications de sa vieille cuisinière, fidèle, mais qui ne donnait pas sa place lorsqu'il était question de s'apitoyer sur son sort afin de convaincre sa maîtresse de jouir des avantages des grandes maisons environnantes. Alors, le vent artificiel étourdissait le plafond de la cuisine, mais pas celui de la chambre de Lung. Les rafales des deux palettes tournoyantes refroidissaient le front et ankylosaient les nerfs du cou – Lung s'en méfiait comme de la peste. Le corps humain, sensible aux ondes éthérées de la volupté, était une machine fragile. Un courant d'air – d'un seul degré trop froid – pouvait en briser l'équilibre précaire, le vulnérabiliser, l'envoyer à sa perte.

Lung avait perdu trop d'amants à la suite d'une maladie. Le cumul des disparitions avait creusé en elle un trou que ne pouvait combler sa relation avec le tout. Un espace qui demandait à être rempli de nouveau par un être.

Elle versa l'eau froide des pichets dans une cuve en étain rectiligne. Lung usait des moyens du peuple pour faire baisser la température de l'air suffocant de l'île. Elle trempait des bandes de coton dans l'eau frigorifiée, puisée à même la terre, qu'elle suspendait ensuite à des crochets, près du lit, et tout autour des pièces où elle vivait.

Cette façon de climatiser l'air était vouée à l'échec, car les bandes de tissu séchaient rapidement en raison du climat. Mais pour Lung, tremper ces tissus dans l'eau claire de la cuve, sentir la fraîcheur gagner la fibre du coton, et s'étirer de tout son long pour les suspendre de nouveau appartenaient au chapelet de gestes du quotidien qui lui rappelaient qu'elle avait un corps. Et le corps donnait son sens à l'incarnation humaine.

Les pas de la cuisinière sur la dalle de pierre se firent entendre. Puis, le métal des pattes des deux chaudrons remplis d'eau bouillante, déposés au pied de l'escalier.

Avant l'amour, il fallait remettre le garçon sur pied, le laver, et le blanchir de la folie dont il avait été pris et qui lui avait fait laisser deux corps sans vie dans un taudis du bas de la ville, que les policiers ne tarderaient pas à découvrir.

15

Le sergent Patterson taillait sa moustache de façon symétrique, dont les poils naissaient blonds et devenaient roux au fil du temps. Torse nu devant le miroir sur pied, dans son bureau, il attendait l'événement de la nuit nouvelle.

L'écho de la brutalité de l'incident survenu dans l'appartement près du quai avait atteint la caserne. C'est le constable Briggs, la dernière recrue du corps policier, qui l'en avait informé. Le jeune constable avait monté trois à trois les marches jusqu'au bureau du sergent, malgré la chaleur :

– Pardon, *sir*, je vois que vous êtes occupé.

– Ne soyez pas ridicule, entrez.

– *Yes, sir*, dit le jeune constable, le visage mouillé de sueur.

– Comment vous appelez-vous, constable ?

– Briggs, *sir*.

– Ah, un Anglais… D'où, exactement ?

– De Manchester, *sir*.

– C'est bien ce que je croyais. Il n'y a qu'un *lad*[4] du Nord pour courir par cette chaleur. Économisez-vous, constable. La chaleur à Hong Kong est tenace, les malfrats aussi. Vous ne pouvez vous permettre de vous brûler les esprits de façon stupide.

– Merci, *sir*. Je ne l'oublierai pas.

Patterson remit ses ciseaux dans leur étui et se tourna vers le constable :

– Je vous prie, passez-moi le petit peigne sur mon bureau.

Le constable toussota pour se donner courage :

– *Sir,* si vous permettez, votre moustache n'est pas égale.

– Vous avez le compas dans l'œil, Briggs, ce qui vous fait honneur, mais ne vous souciez pas de cela. Donnez-moi ce peigne…

Patterson n'achevait jamais de tailler ses poils en début de soirée. Il laissait les coups de ciseaux décisifs pour la fin de son quart, pour son retour à la caserne. Puisque son dieu ne tolérait pas les choses faites à moitié, il foulait le pavé de la ville d'un pas assuré. Assuré de revenir, de survivre à la nuit et de recouvrer sa décence et son civisme, après une incursion dans une peuplade primitive, où son miroir et ses ciseaux l'attendaient. Patterson était un homme moderne, un homme rationnel, qui

---

4. Jeune homme.

acceptait le fait que les dieux aient des caprices différents des siens. Son dieu ne l'emporterait pas avec une moustache à demi taillée.

Ce rituel de la toilette en deux temps datait de son arrivée sur l'île, à bord d'un bâtiment de la marine marchande, affrété par la couronne pour y transporter la première génération de policiers. Jeune, mais avec une moustache déjà enviable, il avait patrouillé dans la zone portuaire avec diligence, tâchant de faire régner un certain ordre et de protéger des êtres qui n'en avaient que pour leur annihilation. Les quais asiatiques étaient au confluent des plus vils instincts humains. Et le lexique de la cruauté chinoise venait assombrir davantage le tableau.

– Alors, constable, revenons à nos moutons. Qu'y a-t-il ?

– Deux corps, *sir*. Dans un taudis mitoyen au port.

– Qui les a rapportés ?

– Je n'en sais rien, *sir*. C'est le constable Singh qui m'envoie. Mais il m'a dit de vous spécifier qu'une des victimes est anglaise.

– Un Anglais, dites-vous ?

– *Yes sir,* un matelot.

– Très bien, constable. J'irai voir cela de mes propres yeux. Veuillez aviser le constable Singh que je le rejoindrai en bas dans cinq minutes.

– Tout de suite, *sir*.

– Briggs…

– *Yes, sir.*

– Prenez votre temps.

La violence, qui atteignait des sommets toujours surpassés, avait repoussé le seuil de tolérance de Patterson. Plus rien ne le surprendrait, sauf peut-être sa propre mort. Son flegme résultait de son éducation rurale écossaise. Il avait appris qu'il existait deux mondes sur terre, l'un habité par les humains, des êtres de chair, certes, vulnérables aux tentations et sujets aux erreurs inhérentes à sa nature, mais des êtres régis par des codes moraux ou des codes d'honneur. Des démons peuplaient l'autre. Ces derniers arpentaient le port, incarnés dans des corps d'hommes, de femmes ou d'enfants, en mal de perversion, et observant des codes perfides qu'aucun être aimant ne pouvait décrypter. Ces démons s'entassaient dans les taudis des venelles du district portuaire, cohabitant avec la vermine et les tarés que les bateaux charriaient depuis des contrées lointaines, aux abords des océans. Au fil du temps, le sergent avait remarqué que ces mondes se côtoyaient rarement. Ils fonctionnaient en parallèle. En laissant chacun suivre son destin, le citoyen ordinaire et l'homme pieux ne risquaient pas de se mettre en péril. Patterson soignait sa moustache, sa relation avec son dieu, et arborait, confiant, la couronne Tudor, peinte sur l'enseigne de métal de son képi. Ses confrères policiers, eux, la frottaient pour en faire un miroir à épouvanter le mal. L'imperturbabilité de Patterson lui valut une promotion signée *Victoria R,* de la main de la bonne reine (que Dieu la garde).

Patterson enfila la tunique verte de l'uniforme du corps de police. Il avait chaud. *Bientôt, je serai trop vieux pour ce métier, mais ces démons, encore, s'entretueront,* se dit-il.

La mer ne finissait jamais de régurgiter des réfugiés, des apatrides, des voyous. S'ils n'étaient pas déjà passés du côté pervers avant de s'embarquer, l'enfer du voyage clandestin, à bord d'embarcations douteuses, les y conduisait. La Russie et la Chine, avec leurs dynasties qui ne tiendraient plus longtemps le coup, cracheraient à elles seules assez de ressortissants pour couler Hong Kong.

La mer les transportait, alors Patterson évitait de penser à elle.

Il pensait au ciel. Celui de son pays de lacs et d'eau douce. Celui de la petite huile pastorale peinte de la main de sa mère, qu'il avait décrochée du mur de sa chambre et glissée dans sa malle, le matin de son départ du Loch Ness. Le ciel de sa contrée natale était parsemé de nuages tantôt blancs, tantôt gris. Les blancs tendaient vers la lumière et les hauteurs, tandis que les gris sillonnaient les basses altitudes à la recherche d'un endroit pour se déverser, comme un chien cherche, le nez au sol, un lieu pour se soulager. Le blanc et le gris occupaient le ciel à des hauteurs différentes.

Le même ordre régnait sur terre.

• • •

Patterson quitta avec regret la pièce aérée généreusement par son ventilateur.

Il se faisait un devoir d'enquêter sur les cas de morts suspectes d'Anglais. On ne renvoyait pas les dépouilles aux familles, qui devaient se contenter d'un rapport des événements. Le corps de police hongkongais était composé d'hommes d'origine britannique, d'Indiens, du Penjab pour la plupart, et de Cantonais ; et les familles, au loin, trouvaient plus de réconfort lorsque le signataire du rapport était l'un des leurs, et qu'il s'agissait d'un haut gradé. Patterson prit au passage une torche électrique, une invention récente, et rejoignit le constable Singh dans le vaste hall d'entrée de la caserne. Patterson appréciait l'acuité d'esprit de Singh, un homme à la taille formidable, coiffé d'un turban vertigineux. Ces mètres de tissu, méthodiquement enroulés, ajoutaient un pied aux six pieds et trois pouces que Dieu lui avait donnés. *Six pieds et trois pouces, don de Dieu ; un pied donné à Dieu,* se disait Patterson. Ces malabars recrutés dans l'Empire de l'Inde pour leur incorruptibilité et leur humble train de vie foutaient la trouille aux Hong-kongais avec leur stature, et suscitaient le respect des Blancs par leur irréprochabilité.

16

Un tour d'horizon avec la torche électrique révéla le corps d'un homme et celui d'une femme dans la pénombre. Il ne restait à peu près rien d'autre dans cette pièce misérable. Singh repéra une lampe à l'huile près d'un mur et l'alluma.

Le cadavre de l'homme couché par terre, sur le dos, baignait dans une flaque de sang. De l'autre côté de la piaule, face à la fenêtre, un frêle corps féminin était couché sur son flanc. Une odeur ambrée d'opium avait investi les murs fissurés et moisissants. Elle planait, révélant la cause du malheur qui s'était déroulé ici.

Patterson et Singh, debout à l'orée de la mare de sang, échangèrent quelques mots caractérisant un scénario qui se voulait familier :

– Opium.

– *Yes, sir.*

– Prostituée.

– Probablement.

– *Pity.*

– En effet, *sir.*

– Et celui-là ? Un matelot frais débarqué, je dirais.

– Je suis d'accord, *sir.*

– Une sale histoire. Une affaire de cœur, je crois.

– Si vous permettez, *sir.*

– Constable ?

– Après l'opium, les femmes n'appartiennent à aucun homme.

– Vous avez raison, Singh.

– Si je puis ajouter, *sir*…

– Dites le fond de votre pensée, constable.

– La scène est singulière.

Singh voyait juste. Des éléments détonnaient dans la composition de cette nature morte.

– Je prends la femme, dit Patterson.

Singh demeura du côté du matelot anglais. Il passa son index de géant dans l'anse de la lampe, et contourna précautionneusement la flaque de sang collant. Il s'accroupit au-dessus de l'abdomen du cadavre. *Quel carnage*, pensa-t-il.

L'instrument utilisé dans cette boucherie était un objet pointu, qui avait percé la peau en la pénétrant et l'avait déchirée en ressortant. Le matelot avait été perforé à plusieurs reprises. L'homme qui avait manié l'arme du crime était doté d'une grande force ou il avait été pris d'une rage incontrôlable.

Pas un pouce carré de l'uniforme du marin n'était intact, mais le constable sentait la puanteur des fibres du tissu jamais lavé. Les ongles du cadavre portaient l'empreinte indélébile de la crasse et du tabac. Même chose pour ses dents, dans sa gueule ouverte. Même chose pour les poils hirsutes de sa moustache. Une cicatrice, comme un ver de terre rose, joignait la commissure gauche de ses lèvres à l'oreille du même côté.

Un bagarreur. Un être de bas étage, pensa le constable.

Il fit un pas, toujours accroupi, en direction de la tête du matelot, en prenant soin de ne pas tacher de sang le cuir de ses hautes bottes lacées. Le visage du cadavre était figé dans une grimace carnavalesque. Lorsque les Blancs étaient en vie, Singh trouvait leur peau odieuse. Et lorsqu'ils étaient morts, alors que leur peau tournait au gris, elle lui répugnait. Elle n'avait rien de la complexion dorée et bienheureuse des cadavres baignés et parés de fleurs et de bijoux que l'on portait au bûcher dans sa native Jalandhar.

Il toucha le cou du cadavre, puis ses joues froides en murmurant le nom de son gourou, Nanak Dev, pour se donner courage. La vie avait tout récemment quitté le sale bougre.

Il renifla la bouche béante du mort. Pas d'alcool.

Étrange.

Ce matelot n'aurait eu rien qui vaille à voler, et le tord-boyaux n'était pas en cause.

Il se releva sans prendre appui, sans effort, et dit en se tournant vers son sergent :

– Il n'était pas ivre, *sir*. Il aura fallu un homme solide pour l'abattre.

Patterson ne l'entendit point, entièrement concentré sur ses observations, de son côté. Agenouillé, il tenait délicatement le poignet de la femme, cherchant son pouls. Le corps, vêtu d'un pantalon et d'une blouse ample du pays, semblait au repos, tout simplement. Intact. Le cou, les mollets et les pieds qui s'échappaient des vêtements sévères étaient d'une minceur squelettique. De petites branches recouvertes de peau.

Le geste de l'Écossais trahissait son espoir d'y déceler le moindre bruissement de vie.

Mais non.

Au lieu de déposer le bras de la défunte, il laissa glisser la paume de la main de celle-ci dans la sienne, jusqu'au bout des doigts de la morte. Il les tint suspendus l'espace d'un souffle, en fermant les yeux, pour ressentir leur légèreté, malgré l'aplomb de la mort, puis les déposa tranquillement sur la natte, ébranlé par le velours de cette peau et par sa divine anémie.

Singh baissa les yeux devant ce geste d'une douceur indécente.

Patterson se sentit observé, et se ressaisit :

– Je crois que nous obtiendrons plus de réponses en nous intéressant au corps de cette femme. Venez voir ici, Singh.

Le constable s'éloigna du cercle gluant de liquide visqueux en interrompant discrètement ses gestes afin d'essuyer le sang qui aurait pu souiller ses semelles. Il ne voulait pas salir le plancher du côté de la femme. Il ne voulait pas y transporter la hideur du marin. En trois enjambées, il se retrouva près de Patterson. Le constable comprit pourquoi son sergent, réputé pour son flegme, s'était laissé attendrir.

La dépouille souriait.

Un sourire d'une telle béatitude dans un visage si beau, que les lèvres de Singh articulèrent :

– Ciel…

– En effet, murmura le sergent.

Elle semblait en extase.

Sa physionomie, que les policiers, par pudeur et par stupéfaction, omirent de mentionner dans le rapport d'enquête, différait en tous points de celle des trépassés habituels. Que la mort surprenne ou qu'elle étouffe avec langueur, lorsque le cerveau enregistre le message de la fin, le masque du désarroi fige les visages, telles les gargouilles gothiques accrochées aux cathédrales. Mais pas ce visage. Ses muscles étaient détendus. On y lisait l'absence de pensées, de tractations, de vices, et de ce qui afflige l'existence. Le visage de cette femme était caractérisé par la légèreté de ceux qui ne cherchent plus à se sustenter avec de la nourriture terrestre. Et ses yeux, bien qu'ayant perdu la lubrification de la vie, semblaient illuminés par leur dernière vision. Une grande joie, une délivrance, liée de quelque façon à la fenêtre de l'appartement.

Le scénario qui s'était joué entre la fenêtre et les yeux de la femme n'avait rien en commun avec l'horreur de la mort du matelot.

Singh brisa le silence :

– Il n'y a pas de signes de violence, ici.

– C'est juste. L'opium est un assassin qui a tout son temps.

– Oui, mais si vous permettez…

– Allez-y librement, constable.

– Merci, *sir*. Je dirais que ce n'est pas l'opium qui l'a achevée, mais que son cœur a flanché à la suite d'une vision.

Les hommes parlaient à voix basse, comme s'ils ne voulaient pas déranger le sommeil de la femme.

– Oui. J'ai la même impression que vous, Singh. Si on me confirmait que c'était possible, je dirais même qu'elle est morte de bonheur.

Silence.

– Excellente façon de partir, dit Singh, sentant qu'il ne pouvait pas laisser la dernière phrase de son sergent sans réponse.

– Hum.

– Si vous permettez un aparté, *sir*.

– Je suis tout ouïe, Singh.

– Cette femme était d'une grande beauté.

– Je dirais même d'une étonnante beauté.

– *Sir*?

– Oui?

– Où sont les tortues?

Elles montaient l'escalier.

17

Dans un fracas d'invectives et d'hilarité, les agents de police cantonais apparurent, chapeaux de paille baissés pour défléchir le faisceau de la torche que Patterson avait à la main.

Les résidents de l'île les appelaient *wu kwai*, « les tortues », à cause des chapeaux de paille qu'ils portaient avec l'uniforme vert. Leur arrivée, après Patterson et Singh, était curieuse, car c'était habituellement impossible de les précéder sur les lieux d'un crime. Les mauvaises langues auraient dit qu'ils savaient à l'avance qu'un délit serait commis.

Les tortues appartenaient à une confrérie qui se recueillait à l'autel de Kwan Ti, dieu de la guerre. À un âge où il en avait l'énergie, Patterson avait fréquenté une aimable courtisane cantonaise qui lui avait expliqué que Kwan Ti était le patron des policiers et des gangsters. Patterson avait exprimé son étonnement en apprenant que des forces adverses vénéraient le même moustachu aux yeux féroces du temple Mo Man. *N'y avait-il pas un dieu de l'ordre que les policiers pourraient prier, au lieu d'un dieu de la guerre?* La courtisane avait roucoulé de plaisir. *Quelle idée de vouloir s'opposer à ses ennemis! Les Blancs ne tarissaient pas de pensées farfelues!* Elle offrait ses services au grand roux à un tarif réduit, pour le simple plaisir d'entendre ses commentaires insensés.

Patterson savait bien que les corps de police, qu'importe le lieu, sont gangrenés. Mais ici, le gangstérisme était assumé par les triades, avec leurs codes et leurs allégeances impénétrables. Les Britanniques n'étaient pas sur le point de les désarçonner. Le sergent gardait une attitude réservée à l'égard de l'information de ses confrères cantonais.

Ils étaient trois. En triangle. Avec, au centre, plus grand d'au moins deux têtes, un matelot blanc chambranlant sur ses jambes, les bras derrière la nuque. Une contorsion qui devait être aussi douloureuse qu'elle était grotesque. Il avait manifestement reçu un coup de botte dans la figure. Sa mâchoire ensanglantée pendait comme un fruit trop mûr et il avait le regard désorienté des gorilles que l'on montrait en spectacle dans les foires d'Édimbourg.

Le plus petit des *wu kwai* s'avança :

– Sergent, nous avons trouvé l'horrible assassin.

– Constable, je ne discute de rien tant que vous n'aurez pas enlevé les poucettes de torture à ce détenu.

– C'est un homme puissant et dangereux, sergent. Un monstre plus rapide qu'un étalon du Jockey Club. Nous l'avons pourchassé jusque sur le quai de la Indo-China Steam. Heureusement que…

– Libérez les doigts de cet homme immédiatement, constable.

Patterson ne perdait jamais son calme.

Le petit donna le signal, et l'un des policiers en retrait s'avança, leva les bras, et d'un seul geste, délia les maillons du cylindre de bambou qui retenaient les index du matelot. Un jeu d'enfant chinois, mais aussi solide que des menottes de geôlier.

Le matelot gémit en étirant ses bras libres.

– Voilà, nous pouvons discuter, maintenant, dit Patterson. Donc, vous l'avez appréhendé sur le quai.

– Oui, Sergent. Nous l'avons rattrapé alors qu'il filait en direction d'un *steamer* fraîchement arrivé au port. Il s'est débattu comme un diable et ne cessait de répéter des imbécillités.

– Vraiment ? Et que disait-il, je vous prie ?

– Il disait qu'un Chinois possédé du démon était tapi dans l'appartement lorsqu'ils y sont arrivés, lui et son ami, et que ce Chinois avait attaqué sauvagement son comparse. Puis, qu'un dragon avait emporté le tueur par la fenêtre.

Singh toussota.

– Un dragon, dites-vous ? répéta Patterson.

– Oui, un dragon. Ridicule, sergent.

Patterson s'adressa au marin, plus alerte depuis qu'il avait les bras libres :

– Vous avez vu un dragon, matelot ?

L'homme remua piteusement la tête pour acquiescer. Même ce moindre geste le fit geindre de douleur.

– Ça aurait été utile de lui laisser l'usage de la parole afin d'élucider cette question, constable.

Patterson, cette fois, s'était adressé à la tortue en cantonais.

– En prenant la fuite, il est tombé dans l'escalier. Il est confus ! répondit le constable en anglais.

Singh toussota encore.

– Et cette femme ? demanda Patterson, éclairant le corps de celle-ci de son faisceau lumineux.

Sans cesser de regarder Patterson, le petit constable répondit avec empressement :

– Nous étions à peine entrés que ce démon s'échappait dans l'escalier, et de toute façon, la femme était déjà morte.

Un vent léger pénétra dans la pièce par les persiennes ouvertes. La torche électrique resta allumée. Géniale invention. La publicité Eveready avait bien spécifié : «*doesn't extinguish in the wind*[5] ». Il pensa au vent, à la mer, à la possibilité d'un dragon dans le ciel. Et au cadavre émacié près de la fenêtre. Patterson se doutait bien qu'il y avait anguille sous roche. Le manque de considération des tortues pour l'une des leurs, une mère, de surcroît, s'il se fiait à l'âge qu'elle devait avoir, lui parut louche. L'air commençait à prendre l'odeur des policiers soudoyés par les triades.

Le constable cantonais, comme s'il avait lu dans les pensées du sergent, enchaîna :

– Sergent, Fung et moi sommes arrivés du côté est de la rue, alertés par la femme de l'apothicaire, qui crie toujours quand elle voit un homme maculé de sang, alors que frère Ling, je veux dire constable Ling, arrivait du marché. Personne d'autre n'a quitté cet édifice de malheur. Nous l'aurions vu. Je vous le dis, cet homme est l'assassin. Voyez le sang sur sa chemise.

– Comment se nomme la femme de l'apothicaire ? demanda Patterson.

– Chen, sergent.

– Comment se nomme le borgne qui habite la chambre d'en face avec son fils ?

– Koo Ching, sergent.

– Comment se nomme le garçon qui cire les bottes, le matin, à l'entrée de cet immeuble ?

---

5. Ne s'éteint pas au vent.

– Xiao Wu, sergent.

– Comment se nomme la femme qui demeurait dans cet appartement ?

– Nous ne pouvons pas le savoir, sergent.

– Vous connaissez le nom de bien des gens dans cette rue, mais pas celui de cette femme.

– C'est exact, sergent, avait répondu le petit constable, imperturbable, même s'il venait de comprendre qu'il était tombé dans le piège de son supérieur.

Patterson plissa les yeux, irrité.

– Merci, constables, dit-il en s'adressant à ses trois confrères coiffés d'un chapeau de paille, merci pour votre ardeur au travail. Maintenant, vous allez demeurer ici. Surveillez les corps sans les toucher. Constable Singh et moi ramènerons cet homme au poste, et Singh reviendra avec les gens de la morgue.

– Nous vous accompagnons, sergent ! C'est un homme dangereux !

– C'est un citoyen de la couronne avant tout, et je m'en porte garant. Nous éluciderons cette déplaisante affaire quand il sera en mesure de raconter lui-même les faits survenus ici. Vous serez convoqués pour témoigner à ce moment-là.

– Ce marin a chopé la vérole, et ça lui a fait perdre la tête, sergent. Il a tué son compagnon dans un accès de folie, puis il a commencé à voir des dragons.

Il doit être enfermé, sergent, ou pendu. Il n'y a rien de plus à savoir au sujet de cette histoire, sergent.

Le dernier «sergent» avait été prononcé avec un peu plus d'emphase.

– Pourquoi aurait-il tué son confrère ici, constable? demanda Patterson, qui n'arrivait plus à contenir son irritation.

– Nous ne pouvons pas le savoir, sergent.

– Où est l'arme du crime?

– Nous ne pouvons pas le savoir, sergent.

C'est à cet instant qu'on rapporta un curieux incident: une tige de bois était tombée du ciel dans le bol à punch de la terrasse du Victoria Ladies Bridge Club. Un lambeau de chair ensanglanté y était accroché.

2010

18

J ean avait élaboré un plan d'action sommaire pour l'opération «on enlève le vieux plâtre des murs parce que madame est curieuse de voir ce qu'il y a en dessous». Ma première tâche consistait à acheter une balayeuse d'atelier dure à cuire pour aspirer la poussière de gypse; il y en aurait des tonnes, si je me fiais à la tête que Jean faisait quand il en parlait. Ensuite, je devais trouver des boîtes de carton vides pour y mettre le plâtre arraché. J'avais promis à Jean de revenir rapidement pour l'aider, mais il m'avait dit de ne pas courir. Honnêtement, je crois qu'il avait besoin d'être seul pour reprendre ses esprits, à la suite de nos pourparlers du matin. Moi aussi. J'avais été soulagée de me retrouver dans l'air pur de l'extérieur, puis d'échanger avec le commis de la quincaillerie.

J'étais revenue avec la balayeuse, les boîtes, et deux clubs sandwichs du Memphré *snack-bar* en guise de calumet de la paix.

– J'ai pris une chance. Je les ai commandés au pain brun, avais-je dit, en lui tendant sa boîte en styromousse. Il avait levé les yeux.

Nous avions mangé nos pointes de sandwich debout; Jean m'expliquait la technique pour déplâtrer les murs entre ses bouchées de pain brun et ses gorgées de Pepsi.

Puis, il avait déclenché l'offensive en empoignant le manche d'une masse, dont la tête était recouverte d'un chiffon noué. Un chiffon sali par de précédents assauts. Il avait dit: «Suis-moi, mais fais attention.»

Il maniait la masse, et je passais derrière, avec un couteau à bois et un marteau pour dégager les coins, et avec une guenille humide pour nettoyer la craie blanche qui adhérait aux fils électriques et aux rugosités des solives.

Jean était ingénieux. Il avait le génie nécessaire pour exercer son métier d'homme à tout faire, il était un *solutionneur* de problèmes baroques et un exécutant de désirs déraisonnables. Son métier consistait à faire de la magie pour des gens qui avaient les moyens de rêver. Le caprice à satisfaire, dans cette ancienne galerie d'art, c'était celui d'une femme se raccrochant à une vie terminée en Chine. Pendant que je faisais mes courses, ce matin, Jean avait dressé une tente mobile avec de vieux draps, qu'il avait fixée au plafond avec du large ruban gommé, et au plancher avec d'innombrables seaux et pots de peinture qu'il avait extirpés du ventre de son camion, comme un magicien tire de son chapeau des foulards noués. Il déplaçait la tente au rythme de la progression du déplâtrage des murs, afin d'y emprisonner la poussière. Il ramassait les plus gros débris avec un balai de paille et un porte-poussière en métal bosselé et les mettait dans les boîtes en carton qu'il s'empressait de fermer. Puis, j'aspirais les restes avec la petite balayeuse vorace.

Néanmoins, une portion du gypse s'envolait, sa poussière se mélangeait à l'air pour retomber sur nos cils, sur les poils de nos narines, sur le rebord des fenêtres, dans les fissures inégales entre les planches de pin du plancher et sur les lattes rugueuses qui se dévoilaient, grouillantes d'écritures.

Jean portait un masque qui couvrait son nez et sa bouche, et émergeait de sous la tente le visage blanchâtre strié de rigoles de sueur, haletant et assoiffé. Il s'hydratait en faisant des glouglous caverneux de Pepsi qu'il buvait à même les bouteilles de deux litres qu'il maintenait froides dans sa glacière électrique. J'essayais de ne pas tenir compte de ses habitudes alimentaires, mais lors de chaque soubresaut de sa pomme d'Adam, je voyais sa ceinture se tendre et sa peau tourner au rose. La culture que j'avais quittée récemment en était une de nourriture bienfaisante, qui m'avait fait oublier qu'avant, j'avais rempli mon corps de carburant digne d'une bagnole en route pour le dépotoir.

Malgré la poussière et la cacophonie du chantier, je tombais amoureuse de mon nouvel espace. J'étais subjuguée par l'ampleur et la majesté de ces lattes pleines d'une calligraphie fine que nous mettions à nu. Jean, discrètement, s'arrêtait lui aussi pour admirer le deuxième mur qui se révélait, aussi ouvragé et sublime que le premier.

La gracieuse écriture me rappelait le vieux scribe qui s'installait à la sortie de métro Tsim Sha Tsui du côté de Nathan Road à Hong Kong, à la tombée du jour, à l'heure où les hommes et les tubes fluorescents reprenaient vie. Il assoyait son derrière osseux sur un minuscule banc en bois, de la largeur d'une seule fesse de vieux scribe chinois, et étalait son nécessaire à calligraphie sur la une d'un quotidien populaire. Deux poils raides, d'au moins dix centimètres, poussaient dans une verrue sur sa joue gauche ; ses cheveux étaient chenus sous sa calotte en soie élimée, et ses ongles s'étaient noircis au fil des décennies passées à calligraphier. Malgré son allure d'académicien impérial ayant épuisé sa réserve de chance, les clients affluaient. Des chauffeurs de taxi illettrés et en mal d'amour, surtout. Et des filles de petite vertu qui, à force de s'intoxiquer pour pratiquer leur métier, n'arrivaient plus à maîtriser leur main pour écrire les billets accompagnant l'argent qu'elles envoyaient à leur famille rurale. D'une oreille attentive, le scribe écoutait les demandes, puis s'exécutait avec cérémonie. Il prenait le bout de son pinceau avec aplomb, allait de l'encrier au papier, mais ses traits étaient à ce point aériens qu'ils conféraient la puissance d'un baiser à une simple salutation, et grâce à eux, les petits billets de banque qui voyageaient sous pli semblaient valoir le double. Étant donné son âge vénérable, le calligraphe avait sûrement écrit les lettres d'amour des coolies qui tiraient les rickshaws à travers la ville, longtemps avant l'arrivée des autos taxis.

La passion était immortalisée sur les murs de mon local comme elle l'était dans les missives du vieux scribe. Je la sentais dans mes tripes. Elle me coupait le souffle.

Vers dix-neuf heures, Jean a donné le dernier coup de masse dans le plâtre du deuxième mur. Il est sorti de la tente, l'air fatigué, le blanc des yeux aussi rouge que le visage.

Il a enlevé son masque, a avalé un demi-litre de Pepsi, s'est essuyé la bouche du revers de la main, et a dit:

– Pis, qu'est-ce que t'en penses?

– Je pense que je continue! Comme je te l'ai dit ce matin.

– C'est sûr que tu continues. C'est pas ça, ma question. Je te demande ce que tu penses des caractères qui se répètent.

– Ah! J'ai toujours aucune idée de ce qui est écrit, mais ça doit être aussi beau qu'un chant d'oiseau.

J'avais passé l'après-midi à tirer, à pousser, à rouler et à hisser la balayeuse rugissante dans tous les recoins du local. J'étais heureuse de m'arrêter et de la faire taire. Heureuse de parler, de formuler des hypothèses quant aux symboles qui se multipliaient sur les murs et qui me trottaient dans la tête depuis le début de l'après-midi. Trois signes se répétaient, de façon métronomique, sur les deux murs à découvert. Jean croyait que la formule récurrente devait avoir une raison utilitaire. Il penchait vers la théorie du calendrier ou de la tenue de comptes. Vue d'un certain œil, la régularité des idéogrammes pouvait ressembler à un journal, à une mémoire de jours identiques et interminables. À un calendrier d'incarcéré. Mais je trouvais cette théorie trop sombre en regard de la féerie des murs intérieurs et du dragon qui se profilait sur celui du dehors. Je préférais y voir un élan d'exaltation.

– Peut-être que ce sont les strophes d'un poème ou des versets mystiques, ai-je proposé.

Jean était pragmatique. Il a haussé les épaules en disant :

– On le saura bientôt.

– Il est sept heures passées, Jean, vas-y. Moi, je reste.

– Je pense qu'on peut y aller tous les deux. À la vitesse où on avance, on aura terminé les deux autres murs demain. Et puis, t'as des téléphones à faire.

– Es-tu certain ? Un coup de fil à Madeleine et au resto chinois, c'est une affaire de quelques minutes.

– Certain.

– Alors, je ne dis pas non – j'ai les bras morts ! En fait, je suis crevée. Mais heureuse. Merci, Jean. Merci.

Il a regardé par terre :

– C'est le *timing* qui est bon. On finit de démolir les murs demain. La poussière aura la fin de semaine pour retomber. Et lundi matin, tu passeras une dernière fois la balayeuse. Je m'arrêterai chez Malouin pour acheter les feuilles de cloison sèche.

– Est-ce que tu peux les transporter dans ton camion ?

– En deux voyages, probablement. Avant, je devrai aller porter les boîtes de gypse à l'écocentre. Ils ont un lieu aménagé pour le matériel de construction. Ils ferment à quatre heures le vendredi, alors il faudra avoir terminé à deux heures demain.

– Compris. J'arriverai demain, à l'heure où les premiers oiseaux du matin commencent à chanter. Une nuit de repos nous fera du bien.

J'étais libre.

J'ai quitté le local avec les oreilles qui bourdonnaient à cause des heures à passer l'aspirateur, mais j'avais le corps mû par le rythme apaisant des inscriptions sur les murs. J'avais l'impression de quitter une église aux arcades régulières.

J'étais fatiguée, mais exaltée. C'était savoureux de m'étirer le corps, de le faire bouger, de le pousser, de le faire travailler; j'étais heureuse qu'il serve à autre chose qu'à boire du thé et du vin de riz que tu rapportais de ton village. Qu'il serve à autre chose qu'à faire l'amour. J'avais distillé mon existence, dans notre appartement à Shenzhen, à m'adonner à ces trois activités. Nous n'avions qu'un rôle, celui d'amants, pendant que cette ville nouvelle s'érigeait au fil des jours, pendant qu'une femme de la campagne frottait nos parquets pour envoyer son fils à l'université, pendant que le pays se réinventait. Tu me demandais souvent: «Es-tu fatiguée?» C'est ce que les hommes demandent aux femmes quand ils sont incapables de savoir ce qu'elles attendent d'eux. C'est ce que les hommes chinois demandent aux femmes blanches, dont ils n'arrivent pas à interpréter les traits, ni la patine de leur peau étrangère, ou encore le noir de leurs yeux cernés quand elles ne font que baiser. Leurs yeux de Blanches.

Ici je ne faisais pas l'amour. Je lisais. J'étais bouleversée de retrouver tant de livres dans ma langue, après les années stériles de mon analphabétisme mandarin. Tous les soirs, depuis mon retour, je m'installais sur l'édredon à carreaux du motel Memphré, entourée de livres, à m'imprégner de ma culture.

Là-bas, j'avais pris l'habitude d'être fatiguée à force de me l'entendre dire, et je croyais que la fatigue était un mauvais état. Mais voilà que je me délectais de mes courbatures, et que je m'endormais avec un livre sur la poitrine. Seule.

Ce soir, la chance m'avait souri. Après une douche et une lampée de blanc sec et froid, j'avais composé le numéro de cellulaire de Madeleine et obtenu un service de messagerie vocale. J'étais exemptée de lui dire de nouveau que je n'avais pas pris ma décision pour la maison de la pointe. Exemptée de son sourire impatient. J'avais laissé un message lui demandant de me rappeler afin de m'informer au sujet des antécédents de mon local. Et je me suis endormie, la lampe allumée et les dents pas brossées, en cherchant le numéro de chez Won Ton dans l'annuaire jaune, qui est resté ouvert sur le lit.

19

Je suis arrivée aux premières heures du matin et le stationnement était désert. J'avais garé la Panthère dans le numéro 18 de madame Lapointe. Le matin était frais et clair. Des garrots naviguaient sur la rivière à la recherche de leur déjeuner. Ils plongeaient tous ensemble, pour ressurgir des mètres plus loin. Leurs plumes trempées reflétaient la lumière. Une magnifique journée s'annonçait.

J'avais grimpé les marches métalliques glissantes de rosée, ouvert la porte du local et pénétré dans l'enceinte des murs ouvrés.

Splendeur !

Silence.

Mue par l'irrésistible, je me suis dirigée vers le centre du local, me suis mise à genoux, et en allant toucher le sol avec mon front, j'ai dit ce que je n'avais pas encore dit : « merci ». Il n'y avait que les murs pour m'entendre exprimer ma reconnaissance de t'avoir connu et de t'avoir quitté. Merci pour

Jean, et pour monsieur Théoret. Merci pour la ville qui m'accueillait même si je l'avais abandonnée. Et surtout, merci pour la fin des souffrances de maman. Le souffle des murs a reçu le mien. Ce souffle qui exhalait l'amour.

Je me suis relevée, les jeans pleins de poussière crayeuse, résolue à formuler à Jean la demande qui avait occupé mon inconscient pendant la nuit. Mais avant, j'avais du boulot.

J'étais perchée sur l'escabeau, et la balayeuse était en équilibre précaire sur le plateau du dessus. Je m'attaquais à la poudre de gypse accrochée au plafond et collée aux articulations des spots. L'air frais, autour de mes chevilles nues, m'avait annoncé l'arrivée de Jean. Je n'avais pas pu l'entendre, car Dumbo la balayeuse, avec sa trompe aspirante, me barrissait dans les oreilles. Mes bras tremblaient, étirés au maximum pour tenir le manche rigide de l'aspirateur tout à son extrémité afin de défariner le plus grand rayon possible.

Il y avait une raison si je me suppliciais ainsi : je souhaitais que Jean me voie travailler, perchée sur l'escabeau, en train de faire des efforts exemplaires. C'était l'élément clé de ma stratégie pour le persuader de changer notre plan au sujet des murs. Cependant mes bras ne tenaient déjà plus le coup. Il était impératif qu'il me surprenne maintenant, en plein labeur.

Il avait bel et bien ouvert la porte, mais il tardait à se montrer. *Hum.*

J'ai coupé le moteur, et j'ai descendu mes bras avant qu'ils tombent.

De mon poste, j'aurais dû voir Jean.

La porte, à l'avant du local, était ouverte. Les boîtes que nous avions remplies de gypse, hier, y étaient entassées, près d'un diable à la peinture épluchée.

Jean transportait des boîtes et les empilait à l'arrière de son camion. J'entendais presque la mécanique de son cerveau comptant chacun de ses pas, et estimant le poids des charges que son dos encaissait pour satisfaire mes caprices.

Valait mieux tenir ma langue et formuler ma demande à un moment plus propice. Le gypse, c'est drôlement lourd.

J'ai redémarré ma machine infernale, laissant Jean à ses mathématiques. Le bruit et l'esthétique des écritures ont vite effacé mon sentiment de culpabilité.

En fin de matinée, Jean avait chargé la dernière boîte dans son camion, avait bu un litre de Pepsi et s'était attaqué à l'autre grand mur du local rectangulaire, après avoir installé sa tente. La masse fracassant le plâtre faisait écho aux bruits de mon aspirateur, et je nous sentais partis pour des heures de plaisir lorsqu'un immense cumulus de gypse m'a enveloppée des pieds à la tête.

Jean avait porté un coup solide et décisif. Le plâtre s'était effondré presque en entier tout au long du mur. Et quand le brouillard de gypse s'est dissipé, nous faisions face à un majestueux dragon peint, corps et membres élancés, flottant dans le nuage de poussière. Un trésor depuis longtemps cloîtré.

Son allure était féminine. Légère. Aguichante. Pas du tout comme celle de son comparse en suie sur le mur extérieur. Ce dragon était caractérisé par une élégance calme, par une voluptueuse assurance qui semblait inviter le spectateur à entrer dans la danse de son mouvement, de sa suave pulsation. La physionomie du dragon ne ressemblait en rien aux créatures imprimées à l'emporte-pièce, toutes en dents et en yeux exorbités, sur les bols de porcelaine des *chinatowns*. Un pinceau appliqué avait fait naître ce visage. Un pinceau fin et une encre de qualité. Notre artiste en résidence avait utilisé les moyens du bord pour le dragon sur la brique extérieure, mais il avait eu le temps et les moyens de réaliser la fresque intérieure.

— Méchant sauté qui a peint ça, a finalement dit Jean.

— Passionné, tu veux dire !

— Ouais. C'est presque gênant, a-t-il ajouté.

— À cause de sa sensualité ?

— Ouais. Le type qui a peint ce dragon était amoureux… ou en manque.

– Ou les deux !

On a ri pour la première fois ce jour-là. Ça a fait du bien.

– C'est aussi incroyable que l'écriture.

– Je me demande comment on a pu couvrir quelque chose de si beau, et pourquoi une telle splendeur a été oubliée.

– Je ne sais pas, a dit Jean en s'épongeant le front avec la manche de son chandail.

C'était le moment de me lancer :

– Jean, j'ai une autre faveur à te demander…

– Misère, a-t-il soupiré, je le connais, ce ton-là. Laisse-moi au moins ramasser le plus gros du plâtre de ce mur-ci avant de m'embarquer dans une autre de tes grandes idées. On parlera en dînant.

– Entendu !

– Peux-tu remonter dans tes hauteurs, pis finir les coins du mur avec le marteau ? Tu m'aideras à dégager le plancher ensuite.

Ce n'était pas une question, mais un ordre. Jean se rattachait à sa dernière ficelle d'autorité. Je me suis fait petite. Et ce midi-là, au Memphré *snack-bar*, je lui ai commandé un club au pain blanc.

• • •

Jean s'était installé sur sa glacière pour dîner, comme hier, et moi, sur le plancher, assise en tailleur.

Gros soleil. Jean mâchait ses bouchées avec une attention qui m'indiquait que le moment de notre conversation n'était pas venu. Je l'ai laissé manger, et me suis tournée vers la vitrine pour contempler les gens dans la rue.

Un agent de stationnement de la municipalité lorgnait les parcomètres. Un chien en laisse faisait systématiquement une arabesque au pied de chaque lampadaire. Des hommes habillés chic discutaient devant le restaurant Picolo, de biais par rapport à nous, de l'autre côté de la rue. Personne, dehors, ne se doutait de ce qui se révélait à l'intérieur de ma boutique anodine. Parfois, un badaud tentait de voir à l'intérieur, malgré le voile poussiéreux sur la vitrine, mais il se désintéressait rapidement du chaos qui semblait régner dans le local. De l'extérieur, on ne pouvait pas apercevoir les écritures minuscules sur les lattes. J'avais vérifié. Ces dernières avaient simplement l'air d'être tachées par la suie et le temps.

C'était d'usage de tapisser les vitrines de papier pour cacher les rénovations, mais j'étais réticente à voiler la lumière du jour. Je voulais aussi que les murs puissent enfin livrer leur message.

Je terminais ma dernière bouchée en me demandant comment je pourrais de nouveau formuler ma requête à Jean, lorsqu'il a lancé:

— Ça va quand même être dommage de couvrir les murs.

Exauçait-il ma prière ? J'ai gardé mon calme, et lui ai répondu, sans me tourner vers lui :

– Moi aussi je trouve ça dommage. Ça me fait mal au cœur, pour tout dire. C'est de ça dont je voulais discuter avec toi.

– As-tu parlé à quelqu'un de chez Won Ton, hier ?

– Non. Je me suis endormie comme une morte avant de trouver le numéro dans le bottin.

Jean a fait, *hé ! hé !* Il semblait fier d'apprendre que j'étais crevée après l'avoir suivi une journée durant.

J'ai refermé la boîte de styromousse sur une croûte et un bout de laitue noircie en continuant :

– Je vais aller au restaurant ce soir, Jean. C'est beaucoup plus simple si je transcris ou que je calque les trois mots qui se répètent, et que je demande à quelqu'un, là-bas, de me les lire.

– Je vais dire comme toi.

– Mais peu importe la signification du texte, l'écriture me parle. Je la trouve tellement belle et tellement bienfaisante. Sans compter que ce serait un atout pour la décoration de ma boutique. Quand je suis partie, hier, malgré le bruit et l'enfer du plâtre, je me sentais calme, lavée. Comme si j'avais passé la journée à lire les pages de la Bible. Et maintenant qu'on a libéré ce dragon, en plus…

– Moi aussi, a-t-il dit, pensif. Quand j'étais petit, ma mère me disait qu'une écriture soignée était proche de Dieu. Elle avait raison là-dessus. Pauvre maman, elle voulait tellement que je réussisse à l'école.

Je ne savais pas quoi lui dire.

Il mastiquait et remastiquait son dernier bout de sandwich. C'était une manie de mâcher si lentement quand il était songeur.

Jean a finalement ajouté :

– Tu n'arriveras jamais à gérer la poussière avec ces lattes rugueuses. Elles sont censées soutenir un mur de finition.

– On pourrait les laver et les vernir.

Jean a soupiré :

– As-tu appelé Madeleine pour t'informer au sujet des anciens locataires ?

– Oui. J'ai au moins eu l'énergie de faire ça. J'ai laissé un message dans sa boîte vocale, mais elle ne m'a pas rappelée.

Et me tournant vers lui :

– Je pense qu'au printemps, les agents d'immeubles sont très occupés.

– Elle va te rappeler, c'est certain. Comme je te l'ai déjà dit, elle veut te garder dans ses bonnes grâces. Y a de la belle cabane dans la région, mais une propriété à la pointe de l'Ancre avec un énorme terrain, et un promoteur prêt à bondir, c'est *big*. Madeleine ne manquera pas cette chance-là.

– Hum. Je vais la lui donner, d'ailleurs. Je vais aborder le sujet lorsqu'elle me rappellera.

Jean s'est levé pour extirper un Pepsi *jumbo* de sa glacière. En se rassoyant, il m'a demandé, feignant de lire l'étiquette de sa bouteille :

– Es-tu pressée de vendre ?

– Pas exactement pressée. En fait, je ne veux pas vendre, mais la propriété coûte cher à entretenir et les taxes sont faramineuses. Au-dessus de mes moyens. Je dois prendre une décision ; il me faudra aussi du temps pour vider la maison et gérer son contenu. Quoique je pourrais la vendre meublée… J'en discuterai avec Madeleine.

– La maison est encore pleine de meubles ?

– Oui. De meubles et de vieux objets – des antiquités et des pièces de collection. Mon grand-père a beaucoup voyagé dans sa jeunesse, et il a acheté de beaux objets un peu partout dans le monde. Il avait l'œil. Il avait aussi une connaissance qui habitait Hong Kong, et qui lui envoyait des pièces asiatiques qu'il choisissait dans des catalogues. Il adorait la porcelaine chinoise, et il est devenu spécialiste dans le domaine, en quelque sorte.

– Eh ben… C'était avant *eBay* ! a dit Jean en rigolant.

Puis, il a bu une grosse gorgée de sa boisson foncée avant de poursuivre :

— D'après ce que j'ai entendu dire, ton grand-père t'a laissé pas mal d'argent. Tu pourrais pas vivre dans la maison ? L'habiter ? Je comprends que les taxes sont élevées, mais si tu vends, tu auras à payer pour te loger ailleurs.

Et il a ajouté :

— Si tu trouves que ça ne me regarde pas, t'as juste à pas me répondre.

— Ça ne me dérange pas de t'en parler. Ça me fait du bien, même.

J'ai dévissé le capuchon de mon thermos de thé vert qui me suivait comme un compagnon de fortune.

— Mon grand-père nous a laissé un bon montant. Mais cet argent aurait dû rester placé. Mon grand-père était écossais – il avait l'économie dans le sang. Avec les années, l'héritage aurait largement amélioré la qualité de vie de ses héritiers et aurait permis de garder la maison. Le joyau de son legs, c'est la propriété. En dollars d'aujourd'hui, elle coûte une petite fortune à maintenir. Je ne sais pas si mon grand-père avait prévu à quel point elle prendrait de la valeur.

Jean n'avait pas l'air d'avoir l'intention de se lever, alors j'ai dit :

– Quand il est décédé, ma mère avait 40 ans. Environ. Elle ne travaillait pas depuis qu'elle m'avait eue. Sur le tard. Mais ça, c'est une autre histoire. Disons, pour faire simple, qu'elle souffrait de problèmes psychologiques. En vieillissant, ses problèmes ont empiré, elle devenait de plus en plus désorganisée, et quand j'ai quitté la maison pour faire mon bac à Montréal, j'ai embauché madame Renaud… Tu sais qui je veux dire? Elle avait trois belles filles blondes un peu plus vieilles que nous. Elles habitaient juste ici, sur la rue Abbott, ai-je dit en pointant la rue transversale de mon index. C'était une vraie soie.

– Je me souviens des filles Renaud, mais pas de leur mère, a répondu Jean avec un petit sourire de mâle. Et puis la rue Abbott, c'est par là, a-t-il ajouté en m'indiquant la direction opposée.

J'ai ri avant de poursuivre :

– Moi et l'orientation spatiale, on est deux ! Enfin, madame Renaud a été très bonne pour ma mère. Mais quand je revenais pendant les congés scolaires, je voyais bien que ça ne tournait pas rond. Sa condition s'est détériorée rapidement, et à la fin de mon bac, elle n'était plus fonctionnelle. Elle était transformée. C'était vraiment difficile. Elle ne me reconnaissait pas les trois quarts du temps. Souvent, elle ne reconnaissait pas madame Renaud. Ça la rendait très nerveuse.

– L'Alzheimer, c'est l'enfer, a dit Jean doucement.

– Oui, épouvantable. Elle avait à peine soixante ans.

Silence.

– J'ai pas été capable de bien y faire face.

– Ta mère est décédée quand ?

– Cet hiver. Ça a été long. En fait, vite au début, et trop long après. C'est tellement traître, cette maladie. Elle a passé des années assise dans une chaise, puis des années recroquevillée dans un lit, comme un petit animal.

J'avais la gorge nouée. J'ai pris une gorgée de thé, puis j'ai inspiré pour reprendre mes esprits :

– Pour en revenir à la maison et à l'héritage, j'en ai dépensé une portion importante pour les soins de ma mère.

J'ai senti que Jean jaugeait ma capacité à encaisser les coups. Il a demandé doucement :

– T'étais en Chine quand elle est partie ?

– Oui.

– Tu voulais pas être avec elle à la fin ? Encore là, si t'as pas le goût de répon…

Mais j'étais comme une naufragée qui vient de repérer une bouée, et j'ai enchaîné avant même qu'il termine sa phrase :

– Je ne savais pas comment agir lorsque je lui rendais visite. Je me sentais tellement inutile. Puis, quand je la quittais, j'étais envahie par la tristesse et la colère; mes émotions étaient toutes mélangées. Ma mère avait les yeux vides, Jean, le regard absent. Tu vas penser que je suis lâche. En fait... J'ai été lâche. Surtout vers la fin.

J'entendais, étonnée, les mots sortir de ma bouche, la sonorité de ces pensées jamais prononcées. Je fixais les grosses bottes de travail de Jean, et je ne pouvais pas m'arrêter:

– Nous n'avions jamais été proches. C'est difficile à comprendre, mais ma mère n'avait qu'une seule compagne: son malheur. Je me suis toujours sentie plus près de mon grand-père, même s'il est mort lorsque j'étais petite. C'est comme si je n'avais pas assez connu ma mère pour être en mesure de l'aider pendant sa maladie.

Jean a bougé ses pieds, et je me suis ressaisie:

– Wow, je vide mon sac, Jean. Ça va t'apprendre à me poser des questions!

– J'ai tout mon après-midi, a-t-il dit, je reste assis tant que le *boss* est assis.

– Le *boss* achève! ai-je répliqué en riant.

J'appréciais cette atmosphère allégée.

– Par rapport à la maison, je veux simplement dire qu'elle est imprégnée de la présence de mon grand-père. Elle est chaude, solide... Elle m'a protégée pendant mon enfance. Je sais que c'est fou, mais cette maison, c'est comme un de mes parents. Ça va être un deuxième deuil de m'en départir, et mon grand-père serait tellement blessé s'il la voyait vendue. Et déçu de moi. Je me sens comme si je le laissais tomber, lui et les Matthews. Mais je n'avais pas d'autres ressources pour les soins de ma mère et je n'ai pas vraiment travaillé lorsque j'étais en Chine. Ça aussi, c'est une autre histoire.

Je me suis allongé les jambes, pour m'étirer, pour montrer que j'avais terminé, et Jean s'est levé. Le soleil dardait ses rayons sur nous, sur sa glacière, et il l'a poussée avec son pied pour la mettre à l'ombre. Il s'est retourné vers moi :

– T'as fait ton possible pour ta mère. Elle a manqué de rien. Ton grand-père avait de la classe, tout le monde le dit, pis toi, tu me dis qu'il avait un grand cœur en plus. Je suis sûr qu'il comprendrait pourquoi tu as agi ainsi. Qu'il serait fier, même, et qu'il penserait que prendre soin de quelqu'un qu'on aime, c'est plus important que des briques, des madriers et des antiquités.

– Merci, Jean. Ça m'a fait du bien d'en parler. Décidément : menuisier, conservateur de musée, psychologue. Tu ne savais pas dans quel contrat tu t'embarquais !

– Si tu savais ! a-t-il ajouté, ça n'existe pas des contrats pas compliqués.

– Tu comprends pourquoi cette boutique que j'ouvre me tient à cœur. C'est mon projet. C'est une façon pour moi de renouer avec ma vie ici sans retomber dans ces souvenirs-là. Je commence à zéro.

– En vendant des antiquités et des objets chinois ? Je trouve que t'es pas mal dans le programme familial ! En tout cas, maintenant, je sais de qui tu retiens.

J'avais enregistré ce qu'il venait de dire, mais j'y réfléchirais plus tard. Je me suis levée en soulevant la poussière.

Il était treize heures trente.

– Jean, au sujet des murs…

– Là, il est une heure et demie. Il faut finir d'enlever le plâtre sur le petit mur, mettre tout ça dans les boîtes et charger le camion pour trois heures et demie, pour passer à l'écocentre avant qu'il ferme. Si j'y arrive en retard, je ne serai pas de bonne humeur. En fin de semaine, je remplace les planches pourries du quai de madame Frost, et ça me prend un camion vide. On reparle de ta nouvelle idée lundi matin.

– Jean…

Silence.

– Merci.

20

Nous nous étions remis au travail après cette marée de paroles, appréciant l'isolement que nous offraient le mouvement et le bruit. Je me sentais comme une baie de Fundy, avec des hauts et des replis vertigineux, et j'admirais l'apparente stabilité de Jean et la capacité qu'il avait de m'écouter.

Notre solitude retrouvée avait rendu nos gestes efficaces, et le gypse qui encadrait la grande vitrine avait rapidement cédé. Les mêmes caractères délicats et minuscules apparaissaient sur les lattes. Les mots se répétaient des milliers de fois, dans tout le local. J'aurais voulu demander son avis à Jean pour le compte, mais il avait la tête à l'ouvrage.

Jean avait accepté ma proposition de ne remplir une partie des boîtes qu'à moitié, afin que je puisse les transporter jusqu'à son camion. À quinze heures, notre boulot était terminé.

– Je te suis dans mon auto et je t'aide à décharger tout ça.

Jean était en nage et j'avais la gorge sèche.

– C'est trop pesant. Je vais arrêter au bar chez Nicole en chemin, voir si je peux me trouver une paire de bras contre une couple de bières.

– T'es certain, Jean ?

– Oui. J'ai moins d'une heure pour tout décharger. J'ai besoin de bras forts.

– Bon. Je te donne au moins de l'argent pour la bière.

– Je la mettrai sur ma facture. J'ai vraiment pas le temps, a-t-il dit en montant sur le marchepied de son camion.

– D'accord. Bonne fin de semaine, alors. On se retrouve ici lundi matin ?

– Si je ne disparais pas chez madame Frost.

• • •

Je me croyais en route pour le restaurant chinois. Mais depuis la conversation de ce midi, ma tête était avec ma mère et au Lake House. C'est donc sans surprise que je me suis aperçue que la Panthère avait mis le cap sur la pointe de l'Ancre.

Il faisait bon rouler, les fenêtres ouvertes, sous le ciel d'un langoureux après-midi de printemps. Quel cadeau que ces fins de journée à notre latitude, où après un dur hiver, la nature nous offre des heures en prime. Superposées aux nuages de coton vaporeux se reflétaient dans le pare-brise les images de l'époque de la maladie de maman. Le chagrin de mes visites, et le soulagement lorsque je quittais sa chambre aseptisée pour la crasse turbulente de la Chine. Lorsque je te retrouvais, et que j'oubliais ma situation familiale grâce à ton corps, à ton sexe disponible, à tes orifices chauds de vie, je trahissais ma mère en ne parlant pas d'elle, en l'éradiquant de moi jusqu'à la visite suivante. Tu ne me posais pas de questions au-delà de celles exigées par la politesse. C'était entendu. Mon existence ne t'intéressait pas. Tu avais une vie que tu ne pouvais quitter – tu ne quitterais jamais la Chine. L'existence en dehors de tes frontières t'était donc irréelle. La maladie de ma mère se déroulait pour toi comme un film américain, et tu me disais distraitement que tout s'arrangerait pour le mieux. Parce que tu percevais l'Ouest comme une terre de faussetés avec des lendemains heureux pastichés, et parce que d'y penser pour vrai aurait exigé un effort.

Je n'avais donc pas parlé de ma mère. J'avais peu parlé. Ma loquacité auprès de Jean m'avait remuée. Son humanité aussi. Le nom *Bisoune* avait été oublié, ce midi.

• • •

À gauche de la rue de l'Ancre, le bleu du lac occupait les étroits interstices entre les cèdres, plantés en rang par mon grand-père jeune. Notre propriété courait le long du lac jusqu'à la moitié de la presqu'île. Autrefois, il y avait du cèdre en abondance partout sur la pointe, ainsi qu'une panoplie d'arbres indigènes, et d'autres plantés avec soin. L'endroit était animé par une communauté d'oiseaux qui se renouvelait avec les saisons.

Maintenant, un empilage de *condos* à différents stades de construction, selon les «phases», masquait le paysage. Rasés, tous les arbres. Tous ! Le promoteur du projet immobilier Rubis sur la Rive avait adopté la méthode *tabula rasa* pour l'aménagement du terrain, et le style *Architecture pour les nuls* pour les bâtiments. Des colonnades grecques moulées dans une matière plastique, des bardeaux Nouvelle-Angleterre, des persiennes aux motifs du Tyrol, de petits balcons vénitiens et des hublots de paquebots de luxe s'agglutinaient avec un amas d'autres genres, joyaux de différentes périodes et de différents endroits. Le promoteur s'assurait ainsi d'en avoir pour tout acheteur, sauf pour celui avec un peu de retenue. J'avais vu des quartiers domiciliaires identiques en banlieue de Montréal, en Floride et dans des banlieues cossues en Chine du Sud. C'était le visage sans caractère de l'argent frais.

Ce tapage visuel, entassé et organisé en petits villages ceinturés de grilles et truffé d'interphones et de claviers pour composer des codes de sécurité, suintait la convivialité d'un Club Med à Bagdad.

Clapiers de luxe, me suis-je dit en roulant doucement jusqu'au bout de la pointe, agrippée au volant de la Panthère. J'avais besoin de la protection de ma voiture.

Devant chacune des «phases», là où s'étaient enracinés les arbres et la végétation féconde, et où le bon sens et nos coutumes dicteraient de remettre du vert, on avait mis de l'asphalte. De l'asphalte avec des lignes peintes et des pancartes numérotées. Mais pas d'autos. De la phase 1 à la phase 3, tout au bout de la pointe, pas une seule auto n'était garée. Où étaient les humains? En janvier dernier, lorsque j'étais revenue m'occuper de la sépulture de maman, il y avait des banderoles rouges sur lesquelles il était écrit «Vendu», partout dans le paysage. Les acheteurs auraient dû suivre.

J'ai dirigé la Panthère vers l'une des steppes asphaltées, et j'ai coupé le contact. Les condos dormaient. Dans la clarté de l'après-midi, je discernais des dos de sofas moelleux contre les fenêtres où les rideaux n'avaient pas été tirés, et des luminaires imposants pendant des plafonds. Même à la campagne, les sofas étaient positionnés pour profiter pleinement des écrans plats. On regardait la nature à la télé, puisque les bulldozers avaient avalé tout le paysage. Des meubles luxueux remplissaient les intérieurs ; pas des corps animés. Les propriétaires devaient utiliser ces demeures comme résidence de fin de semaine. Quelle ville quittait-on pour trouver plus bucolique ici ? Seule une cellule de prison serait moins gaie que ce lotissement.

J'ai écouté pendant un moment.

Pas un bruit.

Pas même le *chick-a-dee-dee-dee* d'une mésange. Du temps de mon enfance, nous devions quasiment nous promener avec des casques protecteurs, tant il y avait de ces petits kamikazes allant d'un arbre à l'autre.

Soudainement, une auto s'est engagée dans le chemin menant à la pointe.

– Quelqu'un !

La voiture a parcouru la rue de l'Ancre jusqu'à la Panthère et moi, et elle a tourné sec dans le stationnement où nous étions tapis. Elle s'est immobilisée en travers du portail d'entrée, sans se soucier des lignes ou de l'assignation de l'espace. «Planchers Concept – la richesse du bois, directement du manufacturier» pouvait-on lire sur ses flancs. Un ouvrier en est sorti, une oreille collée à un téléphone cellulaire; il se grattait le creux de l'autre avec le bout d'un ruban à mesurer rigide. Il nous a ignorées, il a regardé sa montre, a mis le cellulaire dans sa poche arrière avant de pianoter un code sur le clavier du portail, et il a disparu.

De nouveau, le silence lugubre.

Puis, derrière moi, du fond de la pointe, le *bii-bii-bii-bii* d'un camion qui reculait. Une voix a crié *Wo!* puis les freins d'un poids lourd ont exhalé. On terminait la construction de la phase 3. À l'endroit même où il y avait eu un accès à l'eau – une descente avec une pente douce, où les habitants des environs qui n'avaient pas la chance de vivre au bord du lac mettaient leurs canots et leurs chaloupes de pêche à l'eau ; où leurs enfants se baignaient ; où l'on rinçait les petites fraises sauvages cueillies en bordure des chemins ; où les pêcheurs accédaient à la glace, l'hiver, pour y *driller* des trous et agacer la perchaude et le brochet ; à cet endroit, un solage en béton bloquait maintenant ce bout de terre. La descente n'existait plus.

À l'origine, ce coin, où l'on avait accès au lac, appartenait aux Gagnon. Pendant des années, seul un pin gigantesque, avec une corde épaisse nouée autour d'une branche surplombant l'eau, séparait la descente de leur terrain. Puis, des jeunes ont commencé à y traîner en bande, le soir, se partageant des joints odorants et lançant des galets dans l'eau, sous la lune. Maître Gagnon a alors planté un paravent de cèdres entre la descente et son parterre pour dormir tranquille. Il avait eu le cœur de laisser le pin centenaire, incliné au-dessus du lac comme un plongeur figé dans sa lancée, du côté des jeunes. Depuis que les fils de maître Gagnon avaient «grandi» et qu'il attendait qu'ils lui donnent des petits-enfants, le notaire n'aimait rien plus que de s'asseoir dans la chaise Adirondack sur son quai, où il écoutait les rires des petits du voisinage se jetant dans le lac du bout de la corde, et le son de leurs corps fendant l'eau fraîche.

Maître Gagnon savait que son paravent de cèdres, ainsi que l'usage public de la parcelle de terre, depuis le temps de son père, lui enlèveraient la propriété de la partie de terrain où se trouvait la descente. Mais il était conscient de sa chance d'être né Gagnon, et il était de ceux qui croient que l'eau et l'air d'un lac sont source de santé. Aussi croyait-il que c'était son devoir de partager les bienfaits de ces lieux. Il savait aussi que la corde épaisse que les gamins agrippaient à deux mains, et qui avait creusé un profond sillon dans la chair de la branche où mon grand-père l'avait attachée, était l'amarre de la *Mistress of the Lake.* Et que ces enfants se balançaient au bout d'une relique de majesté.

Mon grand-père m'avait chuchoté, un soir que maître Gagnon nous avait salués en faisant une marche pour digérer: «*There's a good man. Honest he is. Remember: French Canadians make the best notaries. Better with words than us bloody Scotts[6].* »

Il m'avait souvent livré des pensées de la sorte : des maximes, des vérités succinctes, des bribes d'enseignement, car il savait que sa vie ne se juxtaposerait à la mienne que pour une brève période. J'avais vidé bien des verres de whisky Cutty Sark depuis sa mort, essayant de me remémorer les précieuses phrases qu'il m'avait répétées, lorsque je sentais que je déraillais, et que je tentais de retrouver la chaleur de sa voix dans celle de l'alcool.

J'ai démarré la Panthère et nous sommes revenues sur nos pas, à l'enclave verte de la propriété Matthews. Nous avons ralenti à l'entrée, entre deux cèdres usés par les assauts des déneigeuses. La pelouse avait été déchaumée et la grande galerie qui ceinturait Lake House avait été balayée récemment. La compagnie d'entretien faisait un excellent boulot, en échange d'une portion de mon héritage.

Je n'avais pas le cœur de m'arrêter. Je reviendrais demain matin, animée par l'optimisme du samedi.

---

6. Voilà un homme de valeur. Honnête. Souviens-toi : les Canadiens français font les meilleurs notaires. Ils sont meilleurs avec les mots que nous, les maudits Écossais.

21

Lung avait veillé Li jour et nuit. La conscience de celui-ci avait opté pour le sommeil afin de panser sa tourmente et d'accepter le fait qu'elle avait tué un homme. Lung respectait ce choix. C'était un repos nécessaire.

Ces jours de silence lui permirent d'aimer Li. Les nuits, de le désirer.

Elle lui avait enlevé ses vêtements, et l'énergie que dégageait ce corps d'homme, au faîte de son incarnation, l'avait enveloppée, avait envahi la chambre, avalé l'oxygène et fait taire les murmures banals de la vie.

Elle s'était délestée de sa tunique pour que cette énergie, ce feu, coure sur sa peau. Un feu qui nettoie, qui brûle les abattis et qui la laissait comme un champ vide.

Elle avait lavé Li à l'eau tiède, le soulevant, le dépliant, l'écartant avec l'assurance et la solennité d'un célébrant d'office. Ecchymoses, écorchures et entailles s'étaient révélées sous l'éponge humide. Elle avait oint les blessures du jeune homme d'un liniment composé d'extraits de bourgeon de peuplier et de cire d'abeille, afin d'inhiber l'infection et surtout parce qu'elle ne voulait pour rien au monde que ces plaies marquent l'immaculé de la peau de Li le beau.

Toujours, il dormait.

Elle délia sa natte. Les cheveux de Li étaient lourds et aussi longs que les siens. Elle tira sur l'oreiller précieux et fit glisser l'une des cuves rectangulaires à la tête du matelas. Elle y mit la chevelure de Li à tremper. Ses mèches flottaient, se déhanchant telles des algues noires dans un courant invisible. Une danse dans le silence. Les doigts de Lung se firent un chemin jusqu'aux racines des cheveux du jeune homme, et elle lui tint la tête, pesante des malheurs visqueux des quais. Elle la serra pour le rasséréner, en lui murmurant des cantiques réhabilitants. Elle déposa ses lèvres, dans un lent baiser, sur le dessus de son crâne, sur cette zone molle où elle se sentait près de lui, et lui demanda d'oublier.

Puis, elle le massa, l'enduisit d'huile d'amande et d'abricot et parcourut toutes ses étendues. L'écoutant du bout de ses doigts. S'accoutumant au vocabulaire de son corps, comme une concertiste faisant des gammes et des arpèges pour apprivoiser un clavier nouveau. Elle massa un à un les nerfs crispés de Li, les libéra de la peur et de la rage. Elle ne fit que des gestes efficaces, se gardant de faire des caresses. Elle voulait qu'il dorme et qu'il se répare.

La peau de Li était aussi lisse que celle des fruits dont on avait pressé l'huile, et même après l'explosion d'énergie de ce jour inhabituel, ses muscles répondirent comme ceux d'un jeune corps. Son sexe s'anima, quitta le refuge de son entrejambe et se posa mollement, enflé et brun, sur l'abdomen blanc du jeune homme pour signaler son importance. Il s'attendait à ce qu'on s'occupe de lui comme un être doté d'une vie propre. Lung sourit. Son premier sourire depuis des âges, malgré le bonheur qui l'animait depuis qu'elle avait entendu la voix de Li, ce premier matin, et qu'elle l'épiait depuis à loisir.

Le reste du corps du jeune homme était tranquille. On aurait d'emblée pensé cela de quelqu'un qui dort, mais Li était doté d'une immobilité particulière, quiet comme un voilier à l'amarre, toutes voiles affalées. Solide comme une coque dans une eau calme. Comme une coquille lisse. Comme un œuf.

Et il était beau, Li le beau – pur comme la lune d'hiver ; dur comme la glace noire.

Quand elle eut terminé ses ablutions, elle le couvrit d'une peau de soie et s'allongea à ses côtés. Elle s'assoupit dans la tranquillité de l'homme.

• • •

Dans la maison et dans le jardin de Lung, le jour battait son plein.

Les servantes avaient reçu l'ordre de ne pas monter à l'étage et de maintenir le feu pour l'eau. Six chaudrons d'eau bouillante avaient déjà été transportés au pied de l'escalier depuis avant-hier, mais pas de nourriture. Maîtresse semblait avoir une folle envie de propreté.

Mais elle devrait manger. Alors, la vieille cuisinière était descendue au marché pour acheter du poisson salé, qu'elle pourrait garder jusqu'au moment venu, des aubergines blanches à la peau serrée et des feuilles de patates douces pour couper le salé du poisson, qu'elle conserverait dans l'eau fraîche.

Elle avait terminé ses emplettes lorsque, d'un étal du fond, lui vint l'odeur des durians. En s'approchant de la table couverte de fruits à la peau luisante et aux épines coriaces, son nez lui confirma qu'ils étaient frais détachés de l'arbre. La cuisinière pria le marchand de lui en débiter deux. Un pour les servantes, et un pour sa dame.

Le marchand décortiqua les fruits dont les quartiers ressemblaient à des reins jaunes remplis de chair odorante. Il les enveloppa dans un journal anglais qu'aucun d'eux ne pouvait lire. Peu importait. Le

China Mail n'en avait que pour les obsèques du roi Edward, mort au début du mois. Ce journal comptait d'innombrables images publicitaires d'articles loufoques, comme des jarretières pour bas d'hommes et des cages en os de baleine dans lesquelles étouffaient les Blanches avant d'enfiler leurs robes. Des accessoires insensés avec cette chaleur. D'autres publicités étaient honteuses, comme celle de la compagnie japonaise Mitsubishi Co qui vendait son charbon à Hong Kong. La vieille servante ne savait pas lire, mais elle reconnaissait le symbole diabolique de la compagnie – trois triangles formant une fleur maléfique. Jamais elle n'achèterait de la marchandise japonaise, pas plus qu'un journal qui leur accordait de l'espace dans ses pages. Un tel torchon n'était bon que pour emballer le poisson et nourrir le feu.

Jamais, non plus, elle ne s'embarquerait sur un bateau dont les horaires de départ pour des contrées lointaines noircissaient les dernières pages du *Mail*. Après des années à entendre les bizarreries racontées par ses consœurs, employées par des étrangers, elle se trouvait fort bien ici, au service de sœur Lung, et elle se disait que si Tin Hau l'avait préservée toutes ces années, ce n'était pas pour qu'elle aille mourir en terre barbare. Les jeunesses s'embarquaient pour faire fortune, surtout pour *Gum*

Shan, la montagne d'or, comme on appelait les États-Unis. Mais peu en revenaient, et ceux-là n'étaient pas couverts d'or.

À l'étal mitoyen du vendeur de durians, un homme vendait des rutabagas. Le regard de la vieille se promena sur ceux qui étaient posés sur la table ; elle regarda ensuite le vendeur, beaucoup plus en chair que les fermiers rachitiques qui binaient leur lot de misère à longueur d'année. Elle comprit que ces rutabagas étaient creux, et que leurs cavités étaient pleines d'opium.

Elle se sentit fatiguée, et elle pensa au gruau du gros Wong.

Un bol de *congee* la sustenterait pour le retour, et s'asseoir sur l'un des petits bancs de bois ferait le plus grand bien à son dos et à ses chevilles enflées.

Wong lui versa un bol de gruau parfumé, et elle s'installa parmi les autres vieilles aux jambes usées, mais dont le ventre vibrait encore pour un bol de cette chaude douceur.

Elles comméraient, se rapportant les nouvelles qu'elles ne pouvaient lire, mais que murmuraient les quais, les ruelles, leurs belles-filles, les marchands, et la ville elle-même. Ce matin encore, les racontars au sujet de la dépouille du roi Edward alimentaient leurs conversations. Leurs lèvres se mouillaient à l'idée de son corps royal, massif, se décomposant dans une boîte sertie de joyaux, dans un palace glacial. On disait que des rois et des princesses, venus de tous les empires dans leurs plus fastes atours, attendaient en file, que l'on mesurait en lieues, pour qu'on leur souffle dans la mort ce qu'on n'avait pu leur dire de leur vivant.

La plus vieille parmi elles, Lao Su, la vieille Su, avait le devant de la robe tachée et les yeux qui ne voyaient plus. Elle parlait d'un oculiste américain arrivé d'Osaka et qui s'était installé au Carlton Hotel. Il y offrirait des consultations pendant un mois et pouvait redonner la vue avec ses lentilles magiques. Les femmes l'écoutaient à moitié. L'une d'elle s'esclaffa, et dit que la vue, c'était comme l'hymen, qu'une fois perdue, aucun mage ne pouvait la restaurer. Elles rirent la bouche pleine.

Lao Su se défendait. Son fils disait que des hommes de sagesse et de science quittaient leur pays de partout dans le monde pour partager leur savoir sur la montagne d'or, la terre de demain. Il se pouvait bien qu'ensemble, ils aient trouvé comment redonner la vue aux gens. Le regard des femmes qui voyaient encore se posa instinctivement sur la baie, le début de l'ailleurs, où mouillait ce matin un bateau vapeur arborant le pavillon du Dominion du Canada. Elles ne pouvaient s'imaginer toutes ces terres lointaines – aucune d'entre elles n'était sortie de ce quartier – mais en raison de leur expérience et de leur âge, elles se disaient bien que, dans ces pays à bâtir, et dont les entrailles, de surcroît, regorgeaient d'or, les hommes ne se faisaient pas de bile pour la vue dépérissante des anciens.

Lao Su continua son histoire, se plaignant qu'elle ne pouvait pas faire délier les cordons de la bourse familiale à son fils pour subir un examen des yeux. Il lui avait fait sentir qu'une vieille devrait avoir honte de rogner les économies de la famille.

Les femmes qui la connaissaient depuis leur naissance et qui mangeaient du *congee* sur ces bancs en sa compagnie depuis l'époque de Wong l'édenté, le grand-père de Wong le gros, hochaient la tête en pensant à l'ingratitude de leurs propres fils. Lao Su s'était usé la vue et désarticulé les doigts à raccommoder les voiles des bateaux qui arrivaient au port. Pour quelques sous. Sans jamais en dépenser un pour elle. La vapeur avait remplacé les voiles, mais la bourse qu'elle avait remplie pesait toujours lourd dans la poche de son fils et de sa belle-fille.

N'en pouvant plus de la douleur que leur causait le fait de penser à leurs enfants pingres, les femmes parlèrent de choses plus agréables : un braquage de banque, un *steamer* échoué sur les récifs de Chung Cho sans aucune âme à bord, et le curieux incident de la mort de Li la traînée, retrouvée dans son logis entre les bras d'un matelot, mort également.

Le quartier en parlait depuis deux jours.

– Un matelot anglais ? dit Lao Su qui apprenait la nouvelle.

– Je vous le dis ! Après les meurtres, le comparse de l'Anglais s'est mis à courir dans la rue avec sa blouse maculée de sang, et en meuglant comme un buffle. Mon aîné a asséné le coup de bâton qui a permis de l'arrêter ! dit celle qui avait un fils dans le corps de police.

– Les Blancs ont l'habitude de s'entretuer quand ils ont trop bu, mais c'est quand même étrange que l'un d'eux tue une femme du pays, répondit Lao Su.

– Surtout une femme qui n'en vaut pas la peine, ajouta une autre du tac au tac.

– Surtout devant les yeux de son fils ! On aura tout vu quand un Blanc tue une femme, une mère, dans son propre logis, dit une autre qui avait le goût de parler.

Le gentleman à la moustache rousse, installé à une table voisine, retint son souffle. C'était le moment qu'il attendait.

– Que veux-tu dire, « devant son fils » ? Comment savoir s'il était dans l'appartement ? demanda Lao Su.

– Je veux dire que Li le beau, avec ses belles dents, était ici, à l'étal, le soir des meurtres. Il était devant moi ! Wong nous a servis, l'a servi avant moi, et je le suivais dans la rue au retour. Il est rentré chez lui et j'ai continué mon chemin, enchaîna celle dont le fils était policier.

– Impossible. Il aurait sauvé sa mère, s'il s'y était trouvé. Malgré sa beauté inquiétante, c'était un bon fils pour sa dévergondée de mère, dit la cuisinière de Lung, qui se targuait d'être une femme juste.

– Je te le dis, il y était, puisque ma belle-fille est revenue quelques minutes après moi à la maison. S'il était ressorti de chez lui après mon passage, ma belle-fille ne l'aurait pas manqué. Elle affiche des airs de vierge, mais les ailes de son nez s'écarquillent quand elle approche du jeune Li. Elle mouille. Si je pouvais lui passer le doigt entre les jambes pour le prouver à mon fils, je pourrais chasser cette chipie de ma maison ! Croyez-moi ! Si Li avait quitté son logis, elle l'aurait vu ou senti. Les meurtres ont eu lieu comme elle rentrait chez nous.

– Un garçon si beau serait capable de tout… Et sa mère devenait un fardeau, ajouta la cuisinière de Lung, qui commençait à perdre sa clémence.

Elle aurait même voulu poursuivre, mais le mot *matricide* en était un qu'aucune d'entre elles ne pouvait prononcer. C'était un de ces mots qui déshonoraient le vocabulaire.

Les femmes s'étaient arrêtées de parler pour prendre une cuillerée de gruau, pour s'imaginer la scène et le pire au sujet de Li, et reprendre leur souffle de commères.

Patterson faisait l'invisible et priait pour que l'une d'elles pose la question qu'il brûlait de poser.

C'est Lao Su qui la formula :

— Où se trouve Li le beau, maintenant ?

Patterson avança le haut de son corps, sans modifier l'inclinaison de sa tête. Juste assez pour mieux entendre.

— Disparu ! Volatilisé ! répondit la mère du policier, comme si sa disparition était un gage de culpabilité.

— Voyons, dit doucement Lao Su.

Toutes savaient, comme Patterson, que la basse-ville avait des yeux et des oreilles et qu'elle était sans issue. Impossible de disparaître sur le territoire des triades.

Patterson avait suivi leurs regards, de nouveau tournés de concert vers le quai, vers la baie.

Aucun bateau n'avait largué les amarres depuis hier.

— Je ne donne pas cher de sa peau, si on le re-trouve caché dans la cale d'un de ces bateaux, avec tout l'argent que sa mère doit à Malesain. Les triades ne tolèrent pas les dettes non payées.

— Li est un brave homme, qui n'a pas le meurtre dans le sang. Je l'entends par sa voix, moi qui ne suis pas aveuglée par sa beauté. Sa beauté vous rend méchantes, précisa Lao Su. Il est le fils que nous au-rions toutes voulu ! Il agira comme il se doit pour sauver l'honneur de sa mère. Il ne se cache pas dans la cale d'un bateau. Il aura trouvé refuge dans la montagne. Pour réfléchir. Pour trouver le moyen d'affronter ce dragon enragé de Malesain.

– Son seul salut serait de rencontrer un vrai dragon sur son passage, dit la mère du policier en ricanant. Elle voulait dissiper le blâme lancé par Su, la vieille.

– Je préférerais me faire avaler par un dragon plutôt que de tomber entre les griffes de Malesain ! ajouta la cuisinière de Lung.

Les femmes acquiescèrent d'un signe de tête et retournèrent à leur gruau refroidi, ne pensant pas une seconde qu'un dragon avalerait un si bel homme sans le goûter, sans le laisser fondre dans sa bouche pour profiter de son exquise saveur. Elles en rêvaient toutes, du corps de cet homme enlacé à un dragon, tourbillonnant dans l'air – les jambes, les fesses et le sexe tendu. Elles firent silence et regardèrent le fond de leur bol. Par Tin Hau, depuis quand ces femmes, grands-mères, nounous serviles et essuyeuses de nez morveux avaient-elles touché ou senti une peau tendue de désir ?

Patterson jeta un regard du côté des femmes assises pour savoir si elles avaient l'intention de poursuivre leur conversation. Elles étaient silencieuses, et il lui sembla que leur peau éteinte de vieilles dames s'était ravivée d'une patine rosée. Les femmes étaient passées à autre chose.

Il se leva, discrètement satisfait, en lissant les deux côtés de sa moustache d'un seul trait, de son pouce et de son index.

Il avait obtenu l'information qu'il était venu chercher.

22

Li apprit la mort de sa mère alors qu'il avait encore les paupières mi-closes. La vieille cuisinière avait rapporté la nouvelle. Elle l'avait répétée aux jeunes servantes, dans le jardin de la maison, dès qu'elle avait déposé ses paniers pour avaler une tasse de thé frais. Le racontar s'était amplifié, le temps que la vieille femme grimpe les côtes de la ville humide, puis les escaliers jusqu'à la chambre où dormait encore Li. Lung avait intercepté la cuisinière et son bol de durian au seuil de la porte de sa chambre, mais la nouvelle était passée.

Lung avait perçu l'excitation malsaine dans la pupille de la vieille et les médisances des quais qui flottaient sur ses vêtements :

– Toi qui n'en as que pour les fesses de tes petits-fils, pourquoi es-tu si émoustillée par cette triste nouvelle, grande sœur?

– Parce que j'ai vu de mes yeux de taupe centenaire le sergent de la police; il était assis près de nous ! Il cherche. Il cherche avec ses oreilles. Je te le dis, Li le beau ne vaut pas mieux qu'un lapin qui ronfle dans la bouche d'un tigre.

– Tu viens de me dire qu'ils ont pris le comparse du matelot.

– Oui, mais il clame son innocence. On dit qu'il y avait du sang partout dans cet appartement, mais très peu sur les vêtements du matelot. Ce n'est pas pour le *congee* que le sergent de police traînait chez Wong le gros. Il croit le matelot, et il cherche Li. D'ailleurs, pourquoi un homme qui pourrait jouir d'une femme qui se donne l'assassinerait-il ? Et pourquoi deux hommes qui peuvent se partager une femme s'entretueraient-ils ? Li est le meurtrier !

– Pourquoi Li ?

– Parce qu'il se terre.

Lorsqu'elle comprit qu'elle nuisait à Li en le cachant, Lung cligna des yeux. La question suivante n'était qu'une façon de retrouver son aplomb :

– Pourquoi aurait-il tué sa propre mère ?

– Pour sauver son honneur.

– Je te vois sourire derrière tes yeux de nourrice sèche. Quelle méchanceté te brûle la langue ?

– Je me dis que plus vite on mettra la main sur Li le beau, plus vite le quartier sera débarrassé de ces Li maudits. Et vite fait, bien fait, avant qu'il ensemence la moitié de la ville avec son sourire d'assassin.

– Sourire d'assassin ! Tu dis n'importe quoi, vieille folle !

– Je ne suis pas la seule à le penser !

– Vous êtes toutes des mégères folles, alors ! Pitoyables et folles. Ne me parle plus jamais de cette histoire et que personne n'entre dans ma chambre jusqu'à nouvel ordre ! Je n'ai besoin de rien, sauf de ne pas vous voir !

Li ne bougea pas. Les paroles prononcées semblèrent l'enduire d'une tristesse qui remplaça la fatigue et l'étonnement, à son réveil, de ne pas savoir où il se trouvait. Il avait dormi pour faire passer sa colère, puis pour accepter le fait qu'il avait tué le marin. Il n'avait pas pensé qu'un malheur était advenu à sa mère. Il n'avait pas pensé à elle. Elle était bien vivante à l'arrivée des porcs anglais. Mais la furie dont il avait été pris lorsqu'il avait compris le commerce de sa mère lui avait fait commettre le pire. Il avait mis sa mère de côté, il l'avait abandonnée. Et du coup, Tin Hau avait fait de même. La déesse ne gaspillait pas ses largesses pour ceux que l'on avait cessé d'aimer. Le culte des ancêtres montrait bien qu'il ne fallait jamais oublier les nôtres. Mais pendant un moment, alors qu'il était en colère contre le matelot, il n'avait plus chéri sa mère. Pendant une fraction de seconde. Et en raison de cette brèche dans son amour, Tin Hau avait pu retirer sa protection.

Le diable attendait que Li baisse sa garde pour s'approprier l'avant-dernier membre de cette famille marquée par le sort improbable de la beauté. Maintenant, il ne restait que Li.

Li se mura derrière ses yeux fermés, désolé d'avoir failli à sa mère et désolé d'être le dernier de sa lignée. Perdre sa famille était le pire des châtiments. Rien n'est plus triste qu'un arbre esseulé. Il ne lui restait que le sommeil.

Lung avait rouvert la porte derrière la servante et avait balancé le bol de porcelaine rempli de durian fétide, qui avait terminé son vol contre le mur du jardin du Commodore Booth.

Le garçon était demeuré impassible. Il n'allait pas bien – il avait recommencé à transpirer. Lung toucha le front de Li et sentit l'intensité de sa fièvre. Une fièvre où il pourrait se perdre, s'enfoncer dans son chagrin.

Avant que Li sombre, il fallait que Lung ravive son énergie. Elle s'en remit à un moyen éprouvé pour raviver le *chi*[7] d'un jeune homme.

Elle n'eut qu'à poser sa paume, pesante, sur le sexe de Li, pour le ramener au présent.

Sous sa paume, le pouls de Li s'intensifia, jusqu'à ce qu'il atteigne la cadence d'un homme bien vivant. Lung ferma les yeux pour mieux se concentrer. La

---

7. Énergie vitale.

vigueur de l'homme avait viré au rouge la couleur qu'elle voyait sous ses paupières. Les yeux clos, elle perçut également un son. Sourd. Un son de cuivres robustes. Et elle parla, s'adressant à cette robustesse en lui, à la source de ces cuivres, à l'essence de Li – l'enjoignant à vivre, lui expliquant qu'on ne mourait pas de chagrin, qu'il pourrait fonder une famille nouvelle et ainsi changer le destin de sa lignée ; ses descendants lui souriaient déjà.

Li ouvrit alors les yeux. Il voulait mieux entendre Lung, envisager le chemin plein d'espoir qu'elle lui traçait. Il vit cette belle femme. Il était accoutumé à la beauté de passereau blessé de sa mère. La beauté de Lung venait de son assurance. Elle avait la beauté d'une régente.

Dans la chambre fraîche, elle le fit passer du rouge désespéré du meurtre et de la perte au calme noir dans sa tête. Elle lui dit que le noir n'était pas un gouffre ou un lieu, mais l'immensité de sa propre personne. Elle lui fit comprendre que l'apparent fourreau étroit de son existence de pauvre coolie était une illusion, un tour que lui jouaient ses sens. Qu'en vérité, il était grand, et que le vide qu'il ressentait pouvait se remplir d'une infinité de possibilités.

Son regard s'éclaircit. Un regard qui aurait pu faire s'immobiliser le vent.

Il tira Lung vers lui d'un geste sûr, gracieux et sans pitié. Elle eut l'impression qu'il s'agissait de l'étreinte des ailes d'un cygne. L'assurance du geste de Li lui fit comprendre qu'il pouvait tuer un homme, comme un cygne peut anéantir ce qui lui est ignoble et intolérable. Par la bouche de la femme, Li goûta la terre, la montagne et l'eau, mêlées aux saveurs vivantes. Il trouva que la peau de la femme avait l'odeur étonnante d'un champignon décapité par un pied insouciant dans la forêt du Peak. Une odeur qui voyait rarement le clair de jour, une odeur de sain et de décomposition. Il alla s'imprégner de cette odeur au plus profond d'elle.

* * *

Lung savait qu'enfin il aurait faim, qu'il mangerait, qu'il voudrait faire l'amour encore, et qu'il dormirait de nouveau.

Le jour tombé, elle descendrait dans la ville, à la caserne, pour vérifier si le policier dont avait parlé sa cuisinière était celui qu'elle connaissait, et qui la connaissait, elle. Le souffle court, elle se disait que Li bousculerait tout, qu'il ne pourrait se tapir ici bien longtemps et qu'il était impossible de cacher un homme en vie. Elle se disait aussi qu'il ne fallait pas s'emballer pour un homme, qu'ils avaient le cœur volage et l'existence brève.

Mais pour un homme comme Li, il était impossible de ne pas s'emballer.

23

Au début d'une nouvelle nuit de travail, Patterson cogitait en s'occupant des pourtours de sa moustache. Il se répétait que le matelot au cachot, lucide ou dément, n'aurait jamais parlé d'un dragon pour se blanchir d'un meurtre. La logique lui aurait dicté des élucubrations vraisemblables, et la déraison, une iconographie familière. Les spectres de pirates, les nageoires dorsales gargantuesques, les chants envoûtants des sirènes, les oiseaux de malheur et les rats pesteux de fonds de cales hantent les marins, pas les dragons.

Le matelot avait retrouvé l'usage de sa mâchoire, et Patterson l'avait questionné avant de monter. Il naviguait dans les Antilles, avait-il dit, et son dialecte de Liverpool, teinté de créole, en faisait foi. Mais une faible main aux cartes et une bouteille de rhum dans un établissement mal famé avaient changé sa trajectoire. Il avait contracté une lourde dette envers un chef de quart, une dette qui ne s'effacerait qu'après de longues traversées. C'était son premier voyage en Orient, « et ce sera mon dernier ! » avait-il dit à Patterson, en crachant douloureusement par terre parce que sa mâchoire lui faisait mal. Quelques questions sommaires avaient permis à Patterson de comprendre que l'homme ignorait tout de la culture chinoise, et qu'il n'avait aucune idée de ses mythes ou de ses réalités. Le bougre n'avait pas inventé l'histoire du dragon.

Il disait vrai.

Un dragon avait enlevé l'assaillant de son compagnon d'infortune, et Patterson le croyait. S'il avait manqué de chance aux cartes, la bonne fortune lui souriait maintenant en la personne de Patterson, un brave Écossais qui avait vu, lui aussi, le formidable dragon.

On cogna à la porte du bureau du sergent :

– C'est ouvert, dit Patterson.

– Bonsoir, *sir*.

– Bonsoir, Briggs. Comment fut la journée ?

– Chaude comme un fournil à pain, mais aussi tranquille que le bon Dieu sait les faire, *sir*.

– Tant mieux.

– Le docteur Jack, du dispensaire de Victoria, est venu examiner notre Scouse[8]. J'ai son rapport ici, *sir*.

_____

8. Habitant de Liverpool.

_____

207

Patterson se tourna vers le constable Briggs :

– Dites. Et allez au plus court.

– Pas une égratignure, *sir*, et en pleine santé, mis à part sa mâchoire.

– Le docteur pense-t-il que c'est notre homme ?

– *No, sir.* Impossible. Le cadavre avait du sang et de la peau sous les ongles. Il s'est débattu comme un diable dans l'eau bénite. Son assaillant porte assurément des marques.

– Le matelot est-il en état de reprendre la mer ?

– *Yes, sir.* Juste un peu timbré avec son histoire de dragon.

Patterson se dit qu'il avait bien fait de taire son histoire de dragon, ainsi que celle du Loch Ness. Il n'était pas bien vu pour un policier de la couronne britannique de s'éloigner de la logique saxonne. Déjà que l'on sourcillait en apprenant qu'il était catholique…

– L'alcool et la mer ont eu raison de ses facultés, Briggs, c'est une combinaison létale.

– Donc, nous le remettons en liberté ?

– Oui, mais pas ce soir, Briggs. Son navire lève l'ancre demain matin. Laissons-le partir aux petites heures. Il disparaîtra dans le ventre de ce bateau, et je suis certain que nous ne le reverrons jamais sur nos côtes. Si nous le laissons sortir ce soir, il risque de faire du trouble et nous serons de nouveau pris avec lui.

– D'accord, *sir*.

– Et que dit le docteur au sujet du petit drapeau qui a atterri sur la terrasse du Victoria Ladies Bridge Club ?

– Une malencontreuse affaire, *sir*.

– Je suis d'accord, mais est-ce l'arme du crime ?

– Nul doute, *sir*. Le docteur a examiné l'arme, si vous permettez l'expression, en fonction des blessures sur le corps. Il semble y avoir correspondance. C'est à la page 3 du rapport.

– Ce club est à flanc de montagne, si je ne m'abuse ?

– Oui, *sir*. Sur Castle Road.

– Et que dit docteur Jack au sujet de la femme ?

– Que c'est l'opium qui l'a tuée ; elle ne portait aucune marque. Il a dit aussi qu'elle s'était chopé la vérole, et qu'elle devait payer sa drogue avec son corps, *sir*.

– Tragique.

– On connaît la faiblesse des Jaunes pour les narcotiques, *sir*.

– Ce genre de commentaire ne sied pas à un officier de la police, Briggs. Gardez l'esprit vif, au lieu de vous complaire à répéter le battage des Anglais qui veulent se donner bonne conscience, et vous ferez un meilleur policier.

– Je ferai mon possible, *sir*.

– Ce garçon a tué O'Dell pour protéger sa mère. Il a du nerf et le sens de l'honneur, mais il est fait de chair et d'os. Il ne s'est pas volatilisé, bon Dieu ! S'il n'a pas emprunté l'escalier, il a quitté cet appartement par la fenêtre. Il n'y a pas d'autre issue. Il se sera grièvement blessé en sautant du troisième étage, il aura peut-être même une fracture… Briggs, faites le tour des guérisseurs, des apothicaires et des vendeurs de substances médicinales du quartier. Allez voir qui aurait pu vendre des pansements, ou le nécessaire pour soigner une fracture.

Patterson revint à son miroir. Il avait envoyé Briggs à la chasse au dahu, mais le contact avec la population locale lui serait bénéfique. Il fallait que ce jeunot aille sur le terrain s'il voulait devenir un policier digne de ce nom.

Le sergent donna libre cours à ses souvenirs de Niseag[9] et du dragon. L'âme de Patterson était aussi accueillante qu'un après-midi ensoleillé. Elle pouvait accepter l'existence d'autres êtres merveilleux aux côtés de Dieu, de la Vierge Mère et des saints, et avec qui les habitants de sa paroisse entretenaient une relation depuis longtemps. Il avait la foi pratique et tangible des catholiques vivant loin des cathédrales et du faste européen. Elle se mêlait au

---

9. Nom du monstre du Loch Ness. Le nom Nessie n'est apparu que dans les années 1950.

folklore de la forêt, des *glens*[10] et des *lochs*[11]. Patterson avait la certitude que le dragon était intervenu dans l'affaire de l'assassinat du marin O'Dell et de la dame Li, comme il était intervenu pour l'équipage de la *Fronde*, ce soir dantesque de 1906. Il le sentait… Il sentait le dragon tout proche.

Perchée dehors, sur le bord de la haute fenêtre des quartiers du sergent Patterson, Lung reconnut le sergent, autant par son physique que par sa contenance. C'était le policier du jour du *dai fung*, celui qui l'avait surprise, faible, un jour de septembre.

Un jour qu'elle aurait aimé oublier, mais les journaux et les rapports des commissions d'enquête ne le lui permettaient pas.

Le 18 septembre 1906, elle avait été contrainte d'agir.

Une grêle de paludisme, qui menaçait de décimer la population de l'île, s'abattait sur le quartier flottant, formé des milliers de sampans nichés dans la rade. Des moustiques déchaînés, assoiffés de sang, vecteurs d'un mal qui venait des marécages cerclant l'île, festoyaient sur les bateaux la nuit, se nourrissant des corps assoupis et agglutinés malgré la canicule. Les parasites accablaient surtout les

---

10. Vallées.
11. Lacs.

enfants, avec leur odeur de pomme de terre douce. C'était un banquet flottant.

Les moustiques transmettaient la maladie, mais le miracle de la ville elle-même en était à la source. Où il n'y avait eu qu'un roc stérile dans la mer, les Anglais avaient bâti une cité rutilante, dotée du plus formidable port d'Asie. En cinquante ans, ils avaient taillé un joyau dans un caillou. Et les hommes avaient afflué. Les plus désœuvrés, n'ayant pas accès à la terre hongkongaise, se pressaient contre son flanc avec leurs multiples femmes et leur progéniture innombrable. Ils s'improvisaient pêcheurs. Les Anglais, malgré leur ingénierie, n'auraient pu imaginer un tel amas d'humains dans un espace aussi restreint. Ils ignoraient jusqu'à quel point ce peuple était nombreux. Et ils ne savaient pas jusqu'à quel point les Chinois pouvaient vivre collés les uns contre les autres.

L'eau, qui bordait les berges et qui devait entraîner les déjections au loin, stagnait. Les déchets des humains l'avaient faisandée. Elle était devenue un mouroir où tous les soirs, les familles larguaient de leurs sampans ceux qui avaient succombé à la fièvre, et qui attendait les prochains qui agonisaient.

Du fatras d'embarcations, un pleur continu s'échappait désormais.

Puis, les Anglais qui habitaient le sol ferme avaient commencé à mourir. Les moustiques gorgés se multipliaient et s'aventuraient toujours plus profondément à l'intérieur des terres en quête de sang neuf pour se soutenir.

Les cimetières de Happy Valley, toutes confessions confondues, manquèrent d'espace pour les tombes et de bras pour les creuser.

Alors Lung était intervenue. En dégageant la côte. En l'éparpillant, avec ses moustiques, à tous les vents.

Elle avait soupesé le nombre d'humains qui périraient dans le typhon – une dizaine de milliers – mais ils étaient condamnés déjà. Elle avait évalué à raison que des ports d'entrée illégaux et mouvants de la Chine, des milliers de leurs semblables les remplaceraient. Et que s'ajouteraient des ressortissants de contrées lointaines charriés par les flots.

Aux cinquante ans, environ, selon le marché, le prix du thé, les réserves de riz, la densité des bancs de poissons et la voracité des moustiques, Lung devait déclencher un vent lessiveur pour maintenir l'équilibre sur son île. Ce cycle serait prévisible, tant que l'humain n'aurait pas compris que sa survie dépendait de celle de son environnement.

Lung espérait que l'homme comprendrait bientôt.

Le 18 septembre 1906, donc, mue par son seul désir d'éradiquer la maladie, Lung avait soulevé les eaux avec une fougue pétrifiante, et la nature s'était désorganisée. Le port était devenu un enchevêtrement de bateaux en perdition en raison du vent et des vagues déchaînées. Les embarcations aux amarres rompues allaient à la dérive. Se heurtaient. Se défonçaient. Le bouillon des eaux de la baie s'était empli d'espars cassés, de reliquats de coques, d'algues déracinées du lit de la mer et de débris de toute nature, mélangés aux cargaisons et aux hommes arrachés des jonques. Certains marins réussissaient à s'agripper à un bout d'épave ou à une pièce de bois, mais même les plus forts ne pouvaient se maintenir à flot dans la mer démontée, sinon le temps d'un premier mot de prière.

Personne sur les quais. Personne sur les rives. Personne dans les rues. Pas d'air respirable. Que des débris fusant comme des projectiles. On se terrait.

Lung avait évalué attentivement les dégâts et le nombre de victimes, jaunes et blanches.

Dans les siècles où la ville serait triomphante, on oublierait la perte de ces dix mille Chinois, comme on oublierait les innombrables personnes qui étaient mortes de la malaria. Aucun souvenir d'eux dans les annales.

Du côté des Blancs, il était routinier que des centaines de bateaux anglais – paquebots, voiliers, cargos à vapeur, frégates et bâtiments militaires – mouillent dans la fourmilière de jonques et de sampans chinois. Le port donnait accès aux Anglais au coffre au trésor. Des fortunes et des empires naissaient de la force des flottes de la marine marchande. Mers troubles, tempêtes redoutables et vents disloquants étaient les aléas du métier, et l'industrie de l'assurance maritime en était un fort lucratif aspect. Les marins naviguant sous pavillon britannique jaugeaient leur valeur, par rapport à celle de leur cargo, avec flegme et bonne humeur.

Cette façon de faire allait pour les Anglais, mais pas pour les marins français !

Et ce matin où le ciel au-dessus du port de Hong Kong s'était illuminé des teintes particulières du typhon le plus meurtrier de son histoire, le contre-torpilleur français *Fronde* mouillait fortuitement dans la rade.

Lung avait frappé vite afin d'éviter des souffrances. Valait mieux rapidement sceller les sorts. Son plan était de surprendre les gens, puis de disparaître dans la montagne. Elle devait se mettre à l'écart des cris et laisser les hommes à leur destin.

La scène, même bien orchestrée, serait insoutenable.

Elle avait émergé du fond des eaux dans un tourbillon colossal, d'un orange écœurant, qui s'était transporté au-dessus du port et des bateaux emprisonnés dans la rade. Toutes ces embarcations seraient désormais soumises à la volonté du vent et des vagues meurtrières qui se fracassaient contre la côte, anéantissant les marécages puants.

Lung mettait le cap sur la montagne lorsqu'elle aperçut, du coin de l'œil, l'équipage d'un petit navire de guerre français qui s'agitait sur le pont.

Pourquoi ce bateau mouillait-il dans ces eaux ce jour-là ?

Sur son pont, une trentaine de matelots, désordonnés, ne pouvaient rien faire pour éloigner le navire de la zone où le typhon était le plus violent. Cette zone, le cœur de la baie, bouillonnait d'épaves et de vaisseaux en perdition.

Le commandant de la *Fronde* n'avait pas réussi à démarrer les moteurs avant que le typhon se déchaîne. Sans vapeur, le bâtiment n'était qu'une coquille impuissante, mais il était solide, et il tenait bon. À condition qu'aucun navire ne le frappe.

Les marins s'étaient attachés aux filières et s'agrippaient au haubanage et aux cheminées froides, tout en essayant de fixer les pare-battages en caoutchouc d'Indochine sur les flancs du navire pour amortir les chocs. Dans la turbulence, les hommes perdaient pied, léchés par les lames, sans que leurs doigts, pourtant agiles, puissent faire un nœud. Ils basculaient cul par-dessus tête, se relevaient sonnés, transis, et continuaient de lutter. Pour survivre, par amour pour leur bateau, pour ne pas attendre simplement la mort. Ils s'étaient engagés dans la marine de guerre pour combattre l'ennemi, les Anglais, les Russes, les hommes, et voilà que leurs fidèles alliés, le vent et la mer, se retournaient contre eux.

Et Lung tourbillonnait au-dessus des eaux.

Le quartier-maître Narcisse Bertho hurla dans la cacophonie : « Navire en perdition à tribord ! »

Les hommes qui avaient entendu tournèrent la tête et suivirent l'index de Bertho, pointé vers le ciel, montrant une brèche de clarté dans la noirceur épaisse de la tempête. Une jonque de pêcheurs était couchée sur son flanc. Elle semblait flotter dans les airs, ou dans le ciel, dans un renversement de l'ordre que seules des vagues cambrées par la folie peuvent causer. Trois hommes étaient agenouillés sur la voile, à plat sur l'eau. Les Français pouvaient presque les toucher, voir le blanc de leurs yeux exorbités, leur terreur. Un des Chinois, sur la voile, cria. Et Bertho, n'écoutant que son courage, largua de toutes ses forces la défense qu'il tenait attachée à de l'épais chanvre.

Le Chinois l'attrapa du premier coup.

Les deux autres pêcheurs sur la voile s'agrippèrent à lui.

Les équipiers à proximité prêtèrent main-forte à Bertho. Ils avaient du mal à supporter le poids des trois hommes. La vague enfla, et la *Fronde* se trouva projetée dans les airs avec les pêcheurs suspendus dans le néant, au bout de la corde. En retombant dans l'eau, la *Fronde* écrasa la jonque sous sa coque. Un marin perdit pied, glissa sur le pont et frappa la première cheminée. Mais les autres, qui avaient tenu le coup avec Bertho, réussirent à hisser la corde rêche, pouce par pouce, jusqu'à la guirlande de pêcheurs. Mais lorsque le troisième pêcheur, exténué, passa la filière, une lame gigantesque fouetta le pont de la *Fronde* et emporta le bon Bertho.

«Un homme à la mer!» hurla son compagnon qui n'avait pas lâché la corde. Mais sa voix se perdit dans un tonnerre d'acier.

Le nez blindé du cuirassé perdu HMS[12] *Phœnix* venait de fracasser la *Fronde* à bâbord, mû par la force du vent déchaîné. Et avant même que l'équipage du *Phœnix* comprenne ce qui se passait, le contre-torpilleur français se brisait et coulait à pic.

Pour l'équipage englouti de la *Fronde,* ce fut le silence, le soudain bien-être de leurs corps en suspens dans l'eau. Puis l'effroi. L'abîme.

La scène avait duré trois battements du cœur déchiré de Lung. Elle s'était attendrie devant la bravoure de l'équipage. Et sans rime ni raison, elle avait agi contre la logique de la tempête et avait replongé dans l'eau. En fendant l'écume, elle vit les hommes

---

12. *His Majesty's Ship.*

qui flottaient tous ensemble comme un caillot dans du liquide. En quelques puissantes brasses, elle arriva sous eux. Elle vit leurs honnêtes visages bretons, leurs foulards bleus noués avec soin autour de leurs cous robustes, et n'hésita plus. Elle les souleva dans une vague neuve, qu'elle alla déposer lourdement sur les quais.

«Une vague miraculeuse», diraient les équipiers survivants. Tous, sauf les quatre marins éventrés par l'étrave du *Phœnix* et le bon Bertho, demeuré pendant une respiration de trop dans l'eau. En mer, les miracles côtoient les désastres; ils naissent du même souffle, et on se les raconte de port en port. Un matelot ne se demande pas longtemps pourquoi il a eu la vie sauve. Il remercie plutôt son saint fétiche en tâchant d'oublier les drames avant le prochain appareillage. Le miracle de l'équipage de la *Fronde* n'avait jamais été réfuté. Les hommes n'avaient rien vu avec leurs yeux brûlés de sel, et il ne s'était trouvé personne sur la terre ferme pour être témoin de ce qui avait soustrait ces Français et ces trois pêcheurs chinois à la mort.

Sauf Patterson.

Un Patterson qui, lorsque le ciel était passé du orange au vert métallique, avait revêtu son lourd *oilskin*[13] pour descendre sur les quais et porter

---

13. Manteau de pluie fait de tissu enduit d'huile.

assistance aux naufragés. Les couloirs de la caserne sonnaient creux. Les policiers, peu importe leur rang ou leur couleur, s'étaient réfugiés dans les cellules renforcées des soubassements du poste, préférant la compagnie des forbans à la violence du typhon.

Mais la barbarie du vent avait refréné les bonnes intentions de Patterson. Sitôt la porte en laiton de la caserne entrebâillée, il avait été aspiré à l'extérieur, soulevé et projeté contre la grille qui ceinturait le bâtiment. Le vent rebondissait sur le flanc du Peak, déracinant au retour ce qu'il avait épargné à l'aller. Le souffle démentiel du vent avait maintenu le sergent entre deux barreaux de fer ; il avait les bras en croix, et ses pieds ne touchaient plus terre. Ainsi, le visage tourné vers le port, il avait vu le spectacle désolant du cuirassé qui engloutissait un navire à la dérive. Le spectacle ne s'était pas terminé là. Comme dans les revues itinérantes de danseuses vêtues de plumes qui débarquaient des bateaux mal famés, le rappel outrepassait le programme. Un instant après la disparition du contre-torpilleur, Patterson avait vu un dragon s'extraire du vortex, dans le ciel, et plonger dans l'écume ; il avait refait surface et survolé le quai en y laissant tomber une pluie d'hommes presque à l'agonie.

Le dragon avait ensuite rasé la grille de la caserne en remontant la ville, et son regard incisif avait rencontré celui de Patterson, qui y était accroché.

Puis, il avait disparu derrière lui, dans les ténèbres de la tempête, filant vers la montagne.

Le typhon avait été suivi de lendemains douloureux. Mais le miracle de la *Fronde* avait donné espoir aux marins, et confirmé à Patterson que les forces du divin œuvraient incessamment pour protéger les hommes – dans l'Inverness, à Hong Kong et partout dans le monde.

Patterson émergeait de ses souvenirs quand il aperçut, dans son miroir, quelque chose qui bougeait de l'autre côté de la fenêtre, derrière lui. Il se retourna vivement.

Mais Lung s'était déjà détachée de la pierre du mur, et battait la nuit de ses ailes. Elle retournait vers le Peak, elle allait retrouver Li, couché dans son lit.

L'Écossais contempla le vide. Devant lui, il y avait le port, dont il devinait le commerce que même le fouet des typhons ne pouvait éradiquer. Sous lui, la caserne qui s'activait, qui s'intéressait aux misères de la nuit.

Il acceptait l'idée que le dragon, gardien de la ville, le conduirait au nommé Li, que les mauvaises langues du quai disaient plus beau que le jour. Et il ne dirait pas qu'il recherchait désormais l'antre de ce dragon, qui se trouvait quelque part dans la montagne.

24

En entendant le son de la portière de la Panthère qui claquait, monsieur Théoret est sorti
du bureau du motel en brandissant un papier de
son bloc rose servant à noter les messages télé-
phoniques.

— Bel après-midi ! lui ai-je dit en enlevant mes
lunettes de soleil.

— Ouais. Ça va être une grosse fin de semaine
en ville.

— Ah oui ?

— Quand y fait beau au début de l'été, y a toujours des embouteillages sur la *main*. Hé ! hé ! Les
gens ont le goût de se montrer. Pis c'est le temps de
mettre les quais à l'eau ; les bateaux tarderont pas.

— Essayez-vous de me dire que j'aurais déjà dû
ouvrir ma boutique ?

— C'est pas de mes affaires, mais tu dois avoir
hâte de vendre un peu de *stock,* au lieu de l'empiler

dans ta chambre ! UPS a livré une autre montagne de boîtes ce midi.

– Ça ne devrait pas tarder. On a eu une petite surprise qui allonge les travaux d'une semaine environ. Je devrais être capable d'ouvrir au début du mois de juin.

– Je veux pas être achalant, mais les filles trouvent pas ça facile de faire le ménage dans ta chambre. Je ne sais pas où tu vas mettre les dix boîtes qui sont arrivées aujourd'hui.

– Pas besoin de me le dire, monsieur Théoret. Je commence à avoir peur qu'elles me tombent dessus, moi aussi. Je vais mettre celles qui sont arrivées aujourd'hui directement dans le coffre de mon auto.

– Elles ne seront pas dans vos jambes pendant les travaux ?

– Je vais les entreposer dans la maison sur la pointe. Je dois aller y faire un tour de toute façon.

– Pas besoin de trop pousser le gros Bisaillon pour faire avancer l'ouvrage ? Hé ! hé !

– Jean ? Non. C'est plutôt moi qui le retarde. Il travaille super bien et il est capable de gérer tous les pépins. Je vous le recommande si jamais vous avez des travaux à faire faire.

Monsieur Théoret a eu l'air agacé. Il a regardé au-dessus de ma tête, et ses yeux se sont posés sur un bout de toiture au-dessus de la chambre 5. Des tuiles de goudron manquaient à l'appel. Puis, il a parlé de quelque chose de moins irritant. Il m'a tendu le papier rose qu'il avait entre les doigts.

— Madeleine t'a laissé un drôle de message cet après-midi.

— Ah oui?

Il a consulté le papier, même si de toute évidence il n'avait pas besoin de le lire:

— Premièrement, elle aimerait que tu la rappelles le plus tôt possible. Elle a dit que les Constructions Rubis avaient fait une offre que tu ne pourrais pas refuser.

— Bien voyons, la maison n'est même pas à vendre!

— C'est pas ça qui les arrête.

— Mais comment savent-ils que Madeleine est mon agent?

— Les requins sont des bêtes de meute. Hé! hé!

— Oui, j'ai déjà lu ça.

— Tu sais que dès qu'ils t'auront remis ton chèque, ces énervés-là vont mettre le *bull* dans la maison de ton grand-père.

— Je n'en doute pas. Il a la démolition dans le sang, ce constructeur. Il a complètement rasé la pointe. Avez-vous vu ça? Il ne reste pas un arbre!

— Ouais. Pis ce nouveau monde-là n'apporte strictement rien à la ville. Y achètent pas dans nos commerces, y encouragent pas nos jeunes. Ils font que du bruit et polluer notre lac. Y achètent peut-être du vin *fancy* à la Régie, mais cet argent-là revient pas dans nos poches!

– Mais pourquoi les Constructions Rubis convoitent-elles à ce point notre terrain? Ils ont leurs phases 1, 2, 3. Je n'ai pas vu d'annonce pour une phase 4!

– C'est pour une marina.

– Une marina?

– Ouais. Ils vont bientôt mettre leurs quais à l'eau. Probablement cette fin de semaine. Et tout ce beau monde va vouloir y mettre leurs yachts à moteur. Pis c'est pas des p'tits yachts! Ben, dans le contrat que les propriétaires ont signé avec Rubis, il y a une marina privée pour remiser leurs bateaux l'hiver; pis une grue pour les mettre à l'eau et les sortir; pis une équipe pour les laver et faire l'entretien des moteurs.

L'image d'un chantier de grues, de yachts en cale sèche et de moteurs puants à la place de la maison de mon grand-père était en train de me faire perdre mon sourire de vendredi ensoleillé. La voix, dans ma tête, me disait qu'il fallait peu d'argent pour vivre simplement, et que la pointe devenait un endroit fort compliqué à habiter…

– Deuxièmement, Madeleine m'a demandé de te dire que c'était une blanchisserie chinoise qu'il y avait dans ton local, avant la galerie d'art.

Le mot *chinoise* m'a sortie de mes pensées.

– Pardon, monsieur Théoret; j'étais dans la lune.

– J'ai dit que Madeleine a dit que ton local, c'était une blanchisserie chinoise avant la galerie d'art!

– Une blanchisserie chinoise?

– Oui, *mamzelle.*

Il a plié le papier rose d'un geste décisif, comme s'il voulait clore le sujet, mais il a ajouté:

– J'aurais pu te dire ça, moi. Madeleine n'est pas née ici, mais nous autres, on s'en souvient. Moman nous envoyait «chez l'Chinois» pour faire laver et empeser les cols à popa. Il portait toujours une chemise blanche à la messe le dimanche. Et aux funérailles, bien entendu. Bonyenne qu'on avait peur d'eux, les chin toc! Hé, hé. Moman laissait pas les filles y aller. On était neuf gars chez nous, pis on se battait pour passer notre tour!

Son sourire était revenu et il avait le regard lumineux de celui qui repense, nostalgique, aux jours plus doux.

J'ai abrégé son plaisir; je ne pouvais pas me retenir:

– J'ai mon voyage!

– Y a rien de surprenant là-dedans! Voyons donc! Il y avait une blanchisserie dans chaque village du Canada à cette époque-là.

– C'était à quelle époque à peu près?

Monsieur Théoret a réfléchi un instant.

– Écoute, moi je suis de la fin de ces années-là. J'sais pas quand l'Chinois est arrivé, mais moi, j'y serais allé après la guerre. J'étais tout jeune. C'était peut-être au début des années 1950. Après, il a disparu.

La Chine que j'avais connue était tellement aux antipodes de la propreté que j'avais oblitéré de ma mémoire la question des blanchisseries chinoises en Amérique du Nord. Mais monsieur Théoret avait raison, c'était logique qu'une blanchisserie ait eu pignon sur rue dans notre petite ville. Les blanchisseries étaient devenues désuètes avec l'arrivée des tissus synthétiques de l'après-guerre et les machines à laver domestiques. Les Meunier occupaient le local depuis cinquante ans aux dires de Jean. C'était logique, mais ça n'expliquait pas les écritures sur les murs.

– Vous souvenez-vous des murs de la blanchisserie?

– Des murs? Non. Pourquoi?

– Parce que Jean et moi avons enlevé le vieux plâtre, et en dessous, les lattes sont recouvertes d'inscriptions en chinois!

– Eh ben, ça doit être quelque chose à voir, ça! Non, j'me souviens pas des murs. J'me souviens pas de grand-chose, sauf que la blanchisserie était chaude. On était bien à l'intérieur, l'hiver, alors que les commerces étaient mal chauffés à l'époque. Le Chinois faisait bouillir de l'eau en permanence sur son poêle et ses fers étaient toujours prêts. Les hommes d'affaires qui débarquaient de Sherbrooke ou de Montréal tout fripés pouvaient enlever leur chemise sur place et attendre en bedaine pendant que l'Chinois la repassait. Hé! hé! les hommes étaient fiers, dans ce temps-là. Pas question de se présenter fripé!

— Vous dites *le* Chinois, mais il devait y en avoir plus d'un, et il devait y avoir des femmes, et des enfants?

— Je ne pourrais pas te dire combien ils étaient. J'étais trop jeune pour me préoccuper de qui était qui. Je voulais juste sortir de là au plus vite! Hé! hé! Pis comment aurais-tu voulu que je différencie un Chinois d'un autre?

Je comprenais le contexte de l'époque, qui justifiait le manque de finesse des propos de monsieur Théoret, mais j'étais un peu agacée par ce qu'il disait:

— Mais *le* Chinois, est-ce qu'il avait une femme?

— Si y avait eu une Chinoise en ville, je m'en souviendrais, hé! hé! Non. Le Chinois ne devait pas être marié ou bien y montrait pas sa femme. Je ne me souviens pas non plus d'enfants chinois à l'école. Pas comme aujourd'hui, où la cour d'école est pleine de petites Chinoises. Je suis content qu'elles aient trouvé des familles par ici. Elles sont *cutes,* les petites vinyennes !

Je n'avais pas le goût de parler des petites Chinoises abandonnées dans les roseaux, alors j'ai plutôt dit :

— Maintenant, je sais pourquoi le local sent l'empois.

— L'empois ?

— Oui. C'est drôle que vous me partagiez vos souvenirs de la blanchisserie, parce que pas plus tard qu'hier, on parlait des chemises de l'uniforme de capitaine de mon grand-père, Jean et moi. J'avais complètement oublié cela. Et voilà qu'il en est question deux fois en deux jours.

— Ton grand-père devait être un client de la blanchisserie. Y était toujours sur son trente-six ! Ah, c'était le bon vieux temps !

— Je le pense aussi, ai-je dit, revoyant mon grand-père qui avait fière allure, avec sa stature d'Écossais nourri au lait de brebis.

— Monsieur Théoret, pourquoi est-ce que vos sœurs n'avaient pas le droit d'aller chez le Chinois ?

— Parce que les Chinois étaient pas catholiques. Moman voulait pas qu'il leur rentre de drôles d'idées dans la tête, pis qu'elle puisse pas les marier après. Jeannine est entrée au Carmel, mais elle en avait quand même quatre à marier !

— C'est complètement ridicule !

– C'était comme ça, à l'époque !

– En tout cas, là, je ne me gêne pas pour le dire : j'ai mon voyage !

– Hé ! hé !

– Bon, je vais vous débarrasser de mes boîtes avant de partir.

– Partir ? Tu viens d'arriver !

– Je me paye la traite, ce soir. Je soupe au restaurant.

– Au restaurant ! Y a pas une binerie, en ville, qui mérite le nom de restaurant. Tous des voleurs ! Tu vas où ?

– Chez le Chinois !

25

À la sortie de la ville, en direction opposée de la pointe et du grand lac, le stationnement du restaurant Chez Won Ton était bondé. Des voitures étaient garées en travers, devant l'entrée, comme si leurs occupants attendaient des comparses qui braquaient une banque. L'apparence du restaurant était pitoyable. Il s'harmonisait avec les autres commerces aux habits délabrés, pommelés par la poussière, le sable et le calcium qu'emporte le vent le long des grandes routes. L'état de délabrement de la voie numérotée allait en diminuant à mesure qu'on s'éloignait de notre *ville* et qu'on s'approchait de la *grande* ville, la ville des services. Les petits commerces qui crevaient de misère faisaient place à des revendeurs d'autos suspects, puis à des vendeurs d'autos d'occasion. S'ensuivait une série de concessionnaires automobiles à l'architecture de palaces futuristes – chrome luisant et vitrines astiquées –, qui semblaient tout droit sortis d'un James Bond. Ce pan de route était une véritable allée de supermarché d'autos. Le hasard les avait installés en ordre quasi alphabétique. Il y avait d'abord les *Chev-Olds* et le détaillant Ford où j'avais acheté la Panthère. Plus loin se trouvaient les marques asiatiques, dont la première lettre du nom est drôlement souvent un *H* ou un *K*. Des lettres qui n'existent pas dans les langues des pays qui les symbolisent désormais. Mitsubishi en mettait plein la vue avec un véhicule utilitaire qui semblait fracasser la vitrine en voulant s'échapper de la salle d'exposition, sous une bannière géante sur laquelle il était écrit : «Favori des guerriers de fin de semaine. »

Cette féerie chromée se trouvait du côté de la grande ville, là où vivaient les employés des hôpitaux et les professeurs d'université, acheteurs d'autos neuves et de rêves réalisables. De notre côté de la 112, c'était un plateau de film de série B avec ses vieilles *hatchbacks*, dont on étirait la vie avec des morceaux de carrosserie dépareillés en pratiquant des chirurgies clandestines. C'était la BMW blanche aux lignes carrées des années 1980, avec ses pneus à plat, stationnée en permanence devant la boutique érotique Extase XXX.

C'est donc avec surprise que je suis entrée dans le restaurant Won Ton. Un monde aux murs frais peints vert bambou, aux tables couvertes de nappes blanches sous des plastiques limpides, rempli de clients souriants et qui conversaient vivement. Un monde heureux.

Au comptoir, un joli petit bout de Chinoise dans la fin trentaine se battait avec le papier coincé dans les entrailles de la caisse enregistreuse. Des clients debout, argent en main et cure-dent aux lèvres, la taquinaient en attendant que la bête régurgite leur addition. Ils avaient tous la même ceinture abdominale que Jean. Certes, les boules de poulet à la sauce à l'ananas n'aidaient pas ces mangeurs à conserver leur ligne, mais la bonne humeur qui régnait dans ce restaurant, combinée aux objets qui portaient chance et aux images de déesses chinoises aériennes posées sur les murs, devait être un baume pour adoucir les jours de calcium d'hiver.

Crazy Little Thing Called Love, qu'on entendait malgré le bruit, agrémentait l'ambiance sauce aux prunes. J'ai eu un pincement au cœur en pensant à Freddy Mercury.

Assis en petit bonhomme, adossé au comptoir, imperméable à tout ce qui se passait autour de lui, un bambin de cinq ou six ans était absorbé par un combat épique sur l'écran de son jeu vidéo. Une deuxième femme chinoise, avec un visage de pleine lune souriante, plus âgée que la première et portant un tablier, surgissait avec régularité des portes battantes de la cuisine avec des boîtes en styromousse remplies des commandes pour emporter. Son œil allait, à chaque voyage, du comptoir à la tête penchée de l'enfant. Un œil de grand-mère.

Des bruits provenant de la cuisine s'en échappaient à chaque battement de porte pour se rendre jusqu'à la salle à manger. L'Ouest se trouvait de notre côté. La Chine, de l'autre.

J'attendais. Il n'y avait aucune table libre. Un bataillon de clients attendant leur *take-out* animait l'entrée du restaurant. «Les gens de la place» parlaient des nouveautés du club vidéo; ceux avec des têtes de gens de la grande ville les ignoraient. Ils devaient réfléchir aux travaux qui les attendaient au chalet, où ils se rendaient pour la fin de semaine. Ils arriveraient bientôt à destination et y reconnaîtraient l'odeur de gomme de pin, mêlée au froid du lac. Dans ces maisons silencieuses, fermées depuis des semaines, ils retrouveraient un frigo vide. Le numéro 3 pour deux personnes avec un extra *moo goo gai pen* faisait le pont entre leurs deux mondes, celui de la semaine et celui de la fin de semaine.

La femme, à la caisse enregistreuse, est venue à bout de son papier récalcitrant et a levé la tête:

– Pour vous, madame?

J'ai été surprise de l'entendre s'adresser à moi en français. Ma Chine n'était ni propre, ça je l'ai déjà dit, ni francophone.

– J'attends une table. Je suis seule. Heu… une table pour une personne seule… Je veux dire une table pour une personne !

C'était tellement plus facile de manger seule dans un restaurant en Chine, où l'hôtesse nous demande le nombre de chaises dont on aura besoin. J'étais devenue experte pour dire *une chaise* en mandarin.

– Un instant, O.K. ? a-t-elle répondu en poussant l'une des portes battantes et en criant en cantonais : où est Ping Ping ?

Les portes ont répondu en faisant apparaître une fille filiforme, tenant un plateau. Elle portait des jeans pâles, un chandail rayé de la marine française et des lunettes à armature invisible. Elle souriait. Dents droites et blanches. Elle avait peut-être dix-huit ans.

En passant le comptoir, elle a mis doucement sa main – le plat de sa paume et ses longs doigts de fille mince – sur la tête du petit garçon. Sans appuyer. Juste un instant. Comme une virgule en passant de la cuisine à l'aire publique. Le petit n'a pas cillé.

Elle m'a dit : «Suivez-moi, s'il vous plaît» et m'a conduite à une petite table, près d'un mur, qui venait de se libérer. En trois gestes, elle l'avait débarrassée, en avait essuyé le plastique d'un linge immaculé et mis en place un nouveau napperon de papier constellé de signes astrologiques chinois. J'avais vu ces mouvements parfaitement réglés, mille fois répétés par les serveuses dans les restaurants de Chine, napperons astrologiques en moins. Ping Ping était aussi efficace qu'elles, et respirait la même intelligence tranquille que les jeunes étudiantes d'université que je côtoyais dans les autobus de l'énorme ville chinoise où j'avais vécu, dans l'odeur âcre du diesel des rues bondées.

— Merci, lui ai-je dit en m'assoyant de telle façon que je voyais l'ensemble du restaurant, au lieu de faire face au mur et de contempler une image de Guan Yin.

— Bienvenue.

Elle avait un parler de Québécoise. Mais une composante d'elle, peut-être le charnu de ses lèvres ou l'étroitesse de son corps, ou quelque mémoire ancestrale, enluminait son accent d'une musique asiatique.

J'ai demandé un numéro 1 avec du thé chinois.

Avant de se faire avaler par les portes battantes de la cuisine, Ping Ping a posé de nouveau sa main calme sur la tête du petit garçon impassible.

Elle est réapparue avec un *egg roll,* a rempli une théière en métal de thé au jasmin, qu'elle a mise sur son plateau avec une tasse en porcelaine épaisse de restaurant chinois. En franchissant le comptoir, elle a caressé une fois de plus la tête du petit.

Malgré l'achalandage, malgré les clients qui réclamaient de l'eau afin que leurs verres soient remplis à ras bord, malgré les affamés qui attendaient qu'on débarrasse la vaisselle sale laissée par les repus, j'ai arrêté la course de Ping Ping :

– Est-ce que c'est votre petit frère ?

– Oui. C'est notre petit bouddha.

– Il vous porte chance ?

– Oui. J'ai un examen lundi, et il a toutes les réponses dans sa tête.

– C'est vrai que les petits garçons sont savants.

– Oui, il est très futé. Pas comme moi. Je dois étudier sans cesse pour me rentrer quelque chose dans la cervelle.

Elle avait dit ça sérieusement, comme les filles en Chine qui s'excusaient d'être de sexe féminin, en affirmant constamment qu'il leur était aussi douloureux d'être de ce monde que ça l'était, pour leur famille, d'accepter qu'elles y soient. À la place d'un petit bouddha.

– L'école doit être plus facile pour lui, puisqu'il est né ici.

Elle a hésité une petite seconde. Répondre signifierait aussi qu'elle s'inclinait devant la subtilité de ma question et qu'elle acceptait ce début de relation avec moi. Délicatement, comme s'amorcent les liens en Chine, où chacun montre qu'il connaît une carte du jeu de l'autre, mais sans jamais lui faire perdre la face.

– C'est vrai. Il est dans son pays, et tout est facile pour lui.

Le garçon était toujours concentré sur son jeu, et ne pouvait se douter que l'on parlait de lui. Ou faux. Les petits bouddhas savent qu'ils sont au cœur de toutes les conversations.

– Vous êtes déjà allée en Chine ? a dit Ping Ping. C'était une affirmation. Pas une question. Elle me montrait que son jeu était aussi fort que le mien, et avec tact.

– Oui. J'y ai habité plusieurs années. À Shenzhen et à Hong Kong. Je dirais que vous êtes aussi futée que votre frère pour savoir cela.

Elle a souri et a seulement dit :

– Je reviens avec votre commande.

Ainsi, ils étaient de nouveaux arrivants. Une de ces innombrables familles avec un plan d'émigration depuis longtemps élaboré, qui se concrétise avec la naissance de leur premier enfant, quand c'est une fille. De ces parents qui s'engagent dans une existence de labeur, dans un pays neuf, parce qu'ils ont la capacité de voir scintiller la vie promise, et de goûter le plaisir que procure la naissance d'un garçon. Un fils transporte la chance du néant dans ses menottes fermées, et avec sa naissance, on baptise le pays d'adoption.

Pendant que je faisais honneur à mon numéro 1, les femmes géraient le trafic de clients avec bonne humeur. Petit Bouddha, lui, n'a pas décroché une fois de son univers électronique. Dans l'entrebâillement des portes battantes, il y avait des hommes penchés sur des planches à découper et sur des woks géants qui grésillaient. Une façon de faire, ainsi qu'une organisation sociale et familiale, avaient été transportées ici, dans notre petite ville.

Mon grand-père n'avait jamais pu combler sa solitude d'immigré. Même s'il avait eu une femme et une enfant. Je me demande ce que nous aurions été, les Matthews, s'il avait emmené une femme de son Écosse natale, une femme qui lui ressemblait pour partager sa vie, au lieu d'épouser une femme du pays. Au lieu de s'égarer dans les antiquités et les porcelaines chinoises.

J'avais aussi été une exilée solitaire, en dépit des apparences.

Une maman et une demi-douzaine de garçonnets en uniforme de balle molle venaient d'allonger la file d'attente. J'avais atteint ma capacité maximale de *chow mein*, alors j'ai déposé les armes. Ping Ping est arrivée *subito* avec deux biscuits de fortune enveloppés dans du cellophane, et l'addition. Elle a foncé vers les cuisines aussi vite qu'elle était venue, les mains chargées d'assiettes gluantes. Pas de main libre pour Bouddha, cette fois.

Mes minutes étaient comptées. Je devais demander à Ping Ping de me faire une faveur, celle de me lire les écritures que j'avais calquées sur le coin d'un papier.

Un des biscuits avait atterri sur le serpent du napperon taché de sauce luisante. Mon signe chinois. *Hum.* J'ai brisé la pellicule plastique, et j'ai tiré sur le petit bout de papier qui dépassait du biscuit, comme une langue dans une bouche grimaçante. La phrase en rouge, *Vous serez récompensé pour vos efforts,* m'a donné le courage de déranger encore Ping Ping.

J'ai mis mon deuxième biscuit dans mon sac en sortant le papier avec les écritures, et j'ai cherché la jeune serveuse.

Étonnement ! Petit Bouddha, assis par terre, a relevé la tête. Sec comme si on l'avait interpellé. Il s'est tourné vers moi, et m'a regardée droit dans les yeux. Et quels yeux ! Quel visage ! Il était d'une beauté surprenante. D'une beauté d'essence lumineuse et de traits parfaits que j'avais rarement eu l'occasion de voir. J'ai senti une petite décharge électrique jusque dans ma moelle. Comme lorsqu'on s'aperçoit qu'il manque une main à la personne assise à côté de soi dans le métro.

Il s'est levé avec calme et s'est dirigé droit vers moi, auguste dans le brouhaha des dîneurs qui parlaient la bouche pleine. Lorsqu'il est arrivé près de moi, il m'a dit d'une voix certaine : « Je t'aime. »

– Pardon ? lui ai-je dit doucement en me penchant vers lui et en déposant d'instinct ma main sur l'arrière de son crâne, comme l'avait fait sa sœur.

– Je t'aime, a-t-il dit en me montrant le papier.

Puis, Ping Ping était là, et elle a regardé le papier :

– Vous écrivez une lettre à votre chum chinois ?

– Non, ce n'est pas moi qui ai écrit ces mots. Enfin, je n'ai fait que les transcrire pour vous demander de me les lire. Je ne sais pas lire les caractères chinois.

– C'est écrit : *Je t'aime.*

– « Je t'aime » ?

– Oui, a répondu petit Bouddha.

– Alors, c'est vous qui avez reçu une lettre d'amour de votre copain ?

Ping Ping semblait avoir autre chose en tête que son examen.

– Pas du tout. Ça va vous paraître étrange, mais j'ai loué un local qui a servi autrefois de blanchisserie chinoise, et il y a cette inscription partout sur les murs.

– C'est écrit « je t'aime » sur les murs ? a demandé la jeune fille.

– Oui. Partout. Plusieurs milliers de fois. C'est merveilleux.

– C'est incroyable, a-t-elle dit doucement.

Petit Bouddha a pris la main de sa sœur et lui a fait une demande en cantonais. Elle a répondu «non» à voix basse, et d'autres mots, mais j'ai clairement capté le «non». Le visage de Bouddha s'est rembruni, mais rien ne pouvait lui enlever sa beauté saisissante. S'il la conservait en mûrissant, il aurait une existence hors du commun.

Ping Ping m'a demandé:

– Où est votre local?

Et avant que je puisse ouvrir la bouche, petit Bouddha répondait:

– Il est de l'autre côté de la ville, sur la rue Principale, près de la banque de papa, là où il y a un dragon sur le mur.

– C'est juste! Mon local est presque à côté de la Banque Royale. Comment sais-tu ça, petit frère?

Mais ma question ne l'intéressait pas, et Ping Ping agissait comme si la clairvoyance était normale et que notre conversation était comme toutes les autres:

– Mon frère voudrait voir votre local. C'est cela qu'il me demandait à l'instant. Je lui ai dit non, que nous ne pouvions pas vous déranger. Mais il n'accepte pas les non.

– Je serais très heureuse que vous veniez au local. Il est en rénovation, alors il n'y a pas grand-chose à voir... Sauf les murs. Si vos parents le permettent, vous êtes les bienvenus, n'importe quand.

– Nos parents suivent la volonté de mon frère.

– Nous irons vous voir demain, après ma pratique de soccer, a enchaîné petit Bouddha de sa voix posée.

Ping Ping a dit quelque chose en cantonais.

Le petit s'est désintéressé de ce que sa sœur lui disait pour me lancer :

– Vous serez là, demain matin.

Je ne voulais pas faire fi de sa sœur ni perpétuer la conviction millénaire que les garçons sont supérieurs aux filles, mais je n'ai pu m'empêcher de répondre :

– D'accord. Je t'attendrai. À quelle heure se termine ton soccer ?

– À 10 h 30. Nous arriverons très vite chez toi.

– Je dois être au restaurant pour l'heure du dîner, demain.

Ping Ping revenait à la charge.

– Nous ne vous dérangerons pas longtemps, madame, n'est-ce pas, Louis ?

– Juste le temps de voir les écritures et le dragon de près.

Un *Ping Ping !* strident fusa du comptoir.

– Excusez-moi, a dit la fille.

– C'est moi qui m'excuse. On se voit demain, alors.

J'ai à peine eu le temps d'ajouter : « Au fait, je m'appelle Sylvie », que Ping Ping saisissait son petit frère par la main et l'entraînait vers les portes battantes de la cuisine, vers l'Asie.

26

Chez un peuple où les alliances sont aussi importantes pour l'épanouissement d'une personne que pour son intégrité physique, on préservait l'hymen de sa progéniture femelle, non pas par amour, mais par affaires. La sortir indemne de l'enfance était un investissement. Les parents marieraient les filles en fonction des avantages qu'ils en tireraient, et toujours dans le but d'étendre les tentacules de leur réseau social. Les dots essentielles aux alliances profitables s'amassaient, tandis qu'on engraissait leur corps pour les nombreuses mises bas nécessaires pour l'obtention des fils tant désirés. Dans les strates supérieures de la société, où les femmes n'ont pas à marcher, les fillettes passaient leur enfance à enrouler, à resserrer, à blanchir et à repriser les mètres de coton qui leur sabotaient les pieds et augmentaient leur valeur. Une fille est un placement, et on ne déflore pas un placement. La déviance aux bonnes mœurs du commerce était châtiée avec une sévérité qui freinait la hardiesse.

Mais cette société, malgré ses règles policées, voyait parfois naître des jeunes filles aux sentiments si puissants qu'elles étaient en péril. L'ardeur qui consumait le cœur d'une donzelle pouvait être son pire ennemi, et menaçait à tout moment de faire voler en éclats les efforts de sa famille.

Il se trouva que Prisée, la fille du marchand de perles, un homme aussi colérique que ses huîtres qui rotaient des joyaux à force d'irritation, était revenue d'une fête qui avait eu lieu sur la grande place de la ville. Elle avait le teint lumineux et un bout d'algue planté dans les cheveux. La nounou de la jeune fille raffolait des gâteaux de riz gluant, fourrés aux fèves macérées dans l'alcool de bambou, et ne manquait jamais de s'assoupir sous l'effet de l'alcool. Prisée en profitait parfois pour s'esquiver, et par chance, cette fois, la bonne femme ronflait encore lorsqu'elle était revenue.

Le père de Prisée aussi était chanceux. Ou plutôt futé. Il avait réussi à déjouer chacun des stratagèmes de la malchance, sauf un : la naissance de Prisée, 14 ans auparavant.

« C'est une fille ! » avait-on annoncé.

Après l'accouchement, le marchand s'était enfermé dans ses appartements et avait ordonné qu'on vide dans la gouttière le contenu des pichets de vin prévus pour célébrer la naissance de son fils et pour oindre les testicules de celui-ci. On garda seulement le pichet de vin fortifié des relevailles de sa première épouse, car elle devrait rapidement recouvrer ses forces et lui produire un fils.

Un silence était descendu sur la maison. Le silence des deuils. Son huître la plus précieuse avait éructé une perle parfaite. La plus splendide que le marchand d'expérience n'avait jamais vue. L'homme savait reconnaître les signes, et les tourner à son avantage. Il fonça dans la chambre de la nouveau-née et s'approcha de son berceau. Un bébé aussi parfait que la perle y dormait, les poings fermés. Avec la peau du même blanc et les traits aussi purs que le joyau qu'il avait placé dans un écrin de soie rouge. Il comprit, comme on comprend lorsqu'on reçoit une claque au visage, qu'il pourrait tirer profit de cette fille. Il la marierait au fils de l'orfèvre, et unirait ainsi leurs destinés, leurs fortunes. Le meilleur des marchands de perles n'est pas grand-chose sans le meilleur orfèvre.

Et l'enfant dans le berceau devint Prisée.

Toute petite, Prisée avait amusé son père par sa gaieté enfantine, mais lorsque la féminité avait commencé à teinter son rire, son regard et ses propos, il s'était désintéressé d'elle, comme il s'était désintéressé de toutes les femmes. Elle ne reprendrait de la valeur que le jour de son mariage.

Mais le destin avait prévu autre chose pour Prisée. Dans les mois qui avaient suivi son escapade, lorsque son estomac s'était mis à rejeter la nourriture et que la peau lisse de son dos s'était recouverte de boutons laiteux, elle sut que l'étreinte de son amoureux, le jour de la fête, l'avait perdue. Elle ne put cacher sa détresse.

La nouvelle de la déchéance de leur jeune maîtresse laissait un goût tellement agréable dans la bouche des servantes quand elles l'annonçaient, qu'elle avait rampé dans les jardins, dans les corridors et dans les pièces de la maison, pour finalement atteindre les appartements du père. Si le racontar était vrai, l'homme avait non seulement perdu une importante fortune et une alliance insoupçonnée sur le plan des affaires, mais il avait également perdu la face : on ne se remettait pas d'une telle honte.

Quand le père entra dans la chambre de sa fille, le lendemain matin, et qu'il vit le déjeuner vomi et la terreur qui dansait dans les yeux de la nounou, il s'approcha de Prisée. Trop près. Elle avait perdu l'habitude d'une telle proximité avec son père. Il était si près qu'elle flaira la couleur fauve de sa rage.

Il dit seulement :

– Dis-moi son nom.

La rage du père était sans amour et la situation, sans issue pour le jeune homme. Elle devait sauver le garçon, son amoureux. Elle chercha un nom, et lui vint en mémoire le nom qui était sur les lèvres de toutes les servantes depuis quelques jours. Rapidement, elle évalua la réponse qu'elle allait donner, car son cœur pur ne souhaitait pas blesser un homme innocent. Mais l'homme auquel elle avait pensé avait tué un Blanc, ainsi que sa propre mère, et cela faisait de lui un homme mort. Et si elle prononçait le nom d'un homme déjà perdu, il ne serait pas perdu davantage.

Et elle dit :

– Li.

– Li lequel ? dit le père.

Elle ferma les yeux en pensant fort à son amoureux, certaine qu'elle prononcerait ses derniers mots, et répondit :

– Li le beau.

La main partit, et la tête de Prisée se brisa sur le granit du plancher de sa chambre.

Puis, la main du père chercha la tête de la nounou pour la fracasser elle aussi. Mais la bonne femme avait pris ses jambes à son cou. Les colosses qui travaillaient pour le marchand de perles la rattrapèrent sur le quai où elle espérait se terrer.

• • •

Le fils de l'orfèvre fut promis à la première fille à naître de la deuxième épouse du marchand d'opales. Le marchand de perles prit une sacrée cuite le soir de leurs noces.

•••

Le sergent Patterson n'était habituellement pas appelé lorsqu'on retrouvait le cadavre d'une vieille servante qui flottait dans les eaux du port. Une telle découverte, sans être triviale, ne retenait pas vraiment l'attention. Les badauds s'étireraient le cou, peut-être, pour voir la dépouille, si la journée ne scintillait d'aucun autre éclat.

Le constable Singh fut donc surpris de constater, à son arrivée sur les lieux, que cette mort faisait réagir les gens, suscitait des émotions ; aussi certaines paroles étaient-elles prononcées un peu plus fort qu'à l'habitude. Ses collègues tortues tentaient de disperser la foule, de faire taire les badauds, mais le diable s'était saisi de l'affaire. Singh écouta les conversations.

Un attroupement s'était formé près du corps repêché. Les femmes qui revenaient du marché, chargées comme des mulets, s'arrêtaient, déposaient les paniers suspendus de chaque côté du balancier reposant sur leurs épaules, et s'assoyaient par terre pour observer la scène avec la même excitation que s'il se fût agi d'une opérette. Singh comprenait sommairement le cantonais, mais distingua les mots *engrosser* et *fille promise*, des mots d'indignation aussi, et les noms de famille de riches joailliers de la ville, lorsqu'un nom retint son attention. Un nom qu'une servante, dans la multitude, avait prononcé, accompagné de *meurtre* et de *matricide*. Ce nom éclipsa finalement les autres, et se retrouva sur les lèvres de tous: Li le beau.

Li le beau avait engrossé une fille. Il l'avait souillée, avait fait perdre une fortune à sa famille, avait fait dévier le destin de celle-ci, avait chamboulé les règles de la collectivité. Li était tueur de mère et danger public. La foule demanda qu'il soit châtié.

Singh envoya quérir le sergent Patterson.

– Aucune preuve, dites-vous, Singh ?

– Les absents ont toujours tort, *sir*.

– En effet. C'est peu probable que ce Li et cette *miss* Prisée se soient croisés. Ils appartiennent à des mondes qui sont aux antipodes l'un de l'autre.

– Mais on rapporte qu'il est d'une beauté... Comment dire, *sir*, dérangeante.

– D'accord, constable, mais il faut que la jeune fille ait eu l'occasion de le voir.

– Je me rallie à votre point de vue, *sir*.

– Je crois que nous assistons à un cas classique de commérage. Fâcheux.

– Si vous permettez, *sir*...

– Ne vous gênez pas, Singh.

– Il a quand même tué un homme. Un Anglais de surcroît.

– Indéniable. Mais O'Dell courait au-devant de sa mort depuis longtemps. Ce n'était qu'une question de temps avant qu'elle le rattrape dans l'un des bordels de ce monde. Je trouve dommage que Li se soit trouvé fortuitement au mauvais endroit au mauvais moment, et que par la force des choses, il ait été l'instrument de cette mort… C'est ce foutu O'Dell le vrai coupable. D'avoir séduit la mort dans l'appartement de Li et de sa mère.

Singh regardait son sergent d'un air inquiet. Pourquoi celui-ci était-il devenu si sentimental ?

– C'est l'âge, constable. Ne me regardez pas de cette façon, et surtout, pas de pitié ! Vous verrez, quand vous serez aussi vieux, qu'il devient difficile de supporter que des vies d'hommes se terminent avant même qu'elles aient commencé. Ma tolérance à l'injustice décroît avec l'âge.

– Aucune justice n'est désormais possible pour le jeune Li ; sur ce point-là, je suis d'accord avec vous, *sir*.

– Oui, j'en ai bien peur. Avec la couronne à ses trousses pour meurtre, les triades qui le cherchent pour payer les dettes de sa mère, et le marchand de perles qui veut sa tête pour sauver son honneur, je ne donne pas cher de sa peau.

– Avec la basse-ville qui l'a pris en grippe, en plus…

– Il n'y aura pas un mortel pour lui venir en aide, dit Patterson, en coupant la parole à Singh.

Voilà pourquoi Patterson n'était pas sur la piste d'un mortel pour retrouver Li.

La foule commençait à se dissiper et deux tortues étaient arrivées avec une civière pour emporter la dépouille de la servante.

Les docks bourdonnaient d'activité; le port était achalandé. Des coolies chargeaient l'imposant vaisseau de la Canadian Pacific Railway Co qui transportait la poste entre Hong Kong et Vancouver. La coque du RMS[14] *Empress of China,* d'un blanc impeccable, contrastait avec la puanteur du quai. Cette coque immaculée faisait rêver Patterson; il s'imaginait les vastes étendues de neige d'un pays où il n'était jamais allé. *Nous sommes le 9 juin,* pensa-t-il, *le bateau prend la mer demain.* Il se dit aussi qu'il y avait un moment qu'il n'avait pas reçu de nouvelles de son neveu, Matthews, installé au Canada, et qu'il devrait lui écrire.

Il pivota sur lui-même afin que le bateau soit derrière lui et qu'il puisse faire face à la montagne. Une végétation dense et moite y foisonnait et les fenêtres des maisons cossues renvoyaient les rayons

---

14. *Royal Mail Service.*

aveuglants du soleil. Il ne pouvait être plus éloigné du froid canadien. Il ne put s'empêcher de penser qu'il regardait probablement Li, sans le voir, ou du moins, la cache du dragon. Et qu'on l'observait peut-être de là-haut. Un frisson lui parcourut le dos.

Il se tourna vers Singh :

– Pas trop courbaturé ce matin, constable ?

– Hormis une raideur dans les mollets, tout va bien, *sir*, je vous remercie.

Singh ne retourna pas la question au sergent. Il ne voulait pas le mettre dans l'embarras. Le sergent avait la démarche d'un homme dont les membres inférieurs sont ankylosés, ce qui contrastait avec sa fière allure habituelle.

Hier, Patterson l'avait sommé de faire une battue dans la montagne, afin de repérer des cavités dans le roc ou des amas de végétation qui pourraient servir de planque à Li ou de repaire aux brigands qui auraient eu l'idée saugrenue de l'abriter.

Les policiers étaient revenus avec des égratignures et ils avaient le corps courbaturé. Ils avaient bel et bien découvert des êtres squattant les quelques petites cavernes du Peak. Il s'agissait de personnes avec des difformités ou des manies tellement désagréables que leur famille et la société les avaient chassés. Singh avait l'habitude des quartiers mal famés de la ville, mais les êtres farouches ayant élu domicile dans les endroits les plus sauvages de la montagne l'avaient ébranlé. Ils appartenaient davantage au monde des bêtes qu'à celui des hommes. Li ne se trouvait pas parmi eux. C'était impossible qu'il y soit.

On aurait dit que Patterson avait lu dans les pensées de Singh au sujet de l'apparence de ces êtres, car il lui demanda :

– Vous avez dit, il y a un instant, que le jeune Li était d'une beauté *déconcertante*, n'est-ce pas ?

– Oui *sir*, *déconcertante*, *dérangeante*, *incroyable*, *diabolique*. Son physique ne semble laisser personne indifférent. On ne parle que de cela.

– Hum. Et selon votre investigation, il n'a jamais eu de démêlés avec la justice ni de liens avec des gens louches ?

– Il est blanc comme neige. C'est un coolie sans histoires. D'ailleurs, la pauvreté de l'appartement où il habitait avec sa mère en témoigne : ils survivaient avec le strict minimum.

– Alors, la seule chose que ce pauvre bougre ait à offrir…

– C'est sa beauté ! Oh, pardon, *sir*, je ne voulais pas vous couper la parole.

– Pas de faute, constable.

Patterson continua :

– Donc, Li est d'une beauté, disons, rare. Qui donc prendrait des risques pour…

———

– Jouir de sa beauté ? Pardonnez le jeu de mots, *sir*.

L'humour de Singh avait allumé une étincelle dans les yeux de Patterson :

– Voilà ! Qui sont ceux qui, en général, appréciant le beau, dépensent de grosses sommes pour se l'approprier ?

– Les collectionneurs, les gens riches, ceux qui n'ont pas à se préoccuper de leurs besoins fondamentaux.

– Précisément, répondit Patterson en se tournant de nouveau vers les demeures opulentes à flanc de montagne.

– *Sir*, ne pensez-vous pas que, selon les lois naturelles, plus de femmes que d'hommes seraient intéressées par les attributs de Li ?

– En effet, Singh, dit Patterson en ne quittant pas le Peak des yeux, et il y a des femmes fort riches dans cette ville.

– Pardon, messieurs ! cria une voix derrière eux.

Patterson et Singh laissèrent passer les tortues qui retournaient au poste de police avec leur civière chargée.

– Je ne rentre pas au poste immédiatement, dit Patterson à Singh, j'ai besoin d'aller faire tremper mes vieux os dans un bain chaud, j'ai mal partout. Allez à l'hôtel de ville pour consulter le registre foncier.

– Bien sûr, *sir.*

– J'aimerais que vous notiez le nom des propriétaires des demeures cossues au nord de Castle Road. Lorsque vous aurez dressé votre liste, j'aimerais que vous spécifiiez quelles maisons sont dotées d'un grand terrain.

– D'accord, *sir,* mais si vous permettez, je ne vois pas très bien en qu…

– Cédez au caprice d'un vieil homme courbaturé, Singh.

– Bien sûr, *sir.*

27

Le bain chaud avait fait son œuvre. Le sergent Patterson en était ressorti comme un homme neuf, les muscles relâchés, et avec un plan d'action en tête pour la suite de son enquête. Son dernier échange avec le constable Singh lui avait fait comprendre qu'il avait manqué singulièrement de flair en cherchant à débusquer le dragon dans une grotte humide. Le folklore contenait quantité d'histoires racontant qu'un dragon prenait une forme humaine pour jouir des grâces de la jeunesse. Un de ces animaux fabuleux n'aurait-il pas agi ainsi pour goûter la chair de Li? Ces bêtes se métamorphosent au besoin. C'était sûrement l'un de ces monstres qui avait réussi le rapt du jeune homme, mais c'était un humain, probablement une femme, qui jouissait du butin. Patterson se promit d'être plus sélectif lorsque viendrait le temps de visiter les maisons dont Singh devait dresser la liste.

Pas une minute à perdre. L'après-midi passait rapidement et Patterson avait besoin de la lumière du jour pour inspecter les maisons, mais surtout les terrains qui pourraient accommoder un géant ailé qui doit s'envoler et atterrir. Il était aussi important que les quartiers soient tranquilles, ce qui était le cas l'après-midi. Dans ce pays, où la chaleur est accablante, les gens font la sieste, ce qui donnerait la latitude nécessaire à Patterson pour effectuer discrètement ses recherches. Les résidents seraient au repos, le personnel, dans les maisons, serait réduit au minimum, et les rues seraient exemptes de témoins. Le sergent ne voulait surtout pas que les gens sachent où Li se planquait, surtout avec tous les enfants de chœur qui lui couraient après.

L'Écossais ignorait les règles de conduite appropriées pour approcher un dragon qui cache un homme. Mais une chose était certaine, un uniforme de policier ne l'aiderait pas à gagner la faveur des domestiques de ce fabuleux animal ; ce sont eux, en définitive, qui décident de ceux qui entrent ou non dans une maison.

Il troqua donc son uniforme vert contre un habit en tussor blanc et son képi contre un casque colonial, aux bords larges, qui lui protégerait en partie le visage du soleil plombant de l'après-midi, et le soustrairait aux regards indiscrets. Il s'arma de son colt 25, plus petit que son Smith & Wesson de service. Il remplit une gourde de thé frais qu'il se mit en bandoulière, empoigna sa canne de marche. Ainsi accoutré, il n'aurait l'air que d'un vieil Anglais, un peu timbré, qui se promenait sous les rayons torrides.

Le sergent élimina d'emblée les demeures qui appartenaient à des Anglais, qu'il avait eu le loisir de fréquenter dans le cadre de ses fonctions ou lors d'engagements sociaux. Il ne restait plus qu'une dizaine d'adresses et de noms de propriétaires sur la liste de Singh. Très peu étaient des noms chinois. Les deux policiers considérèrent ces noms avec attention, tout en épinglant les endroits où se trouvaient ces demeures sur la carte de la ville accrochée à l'un des murs du bureau du sergent.

Trois demeures se trouvaient vis-à-vis le taudis où Li avait tué O'Dell et le Victoria Ladies Bridge Club, où l'arme du crime était tombée du ciel. L'une de ces propriétés appartenait à un homme d'affaires chinois, venu de Macao quand les vents favorables au commerce avaient arrêté de souffler sur l'île portugaise pour converger vers Hong Kong. Il s'occupait d'affaires douteuses, et utilisait de nombreux noms, de sorte que les autorités municipales ne savaient pas très bien à qui appartenait sa demeure. Une deuxième demeure appartenait à un excentrique héritier d'une féodalité chinoise disparue. Et la troisième, à une certaine madame Lung, dont on ne savait rien.

– Ces propriétés ne me disent rien, Singh, et vous ?

– Il me semble que j'ai entendu dire que cet héritier a la lubie des cerfs-volants, *sir*, et que toute sa fortune est en train d'y passer.

– Cerfs-volants, dites-vous ?

– Oui, *sir*.

– Cela expliquerait le grand parterre.

– C'est juste, *sir*. La maison de madame Lung est l'œuvre d'un grand architecte dont le nom, bêtement, m'échappe. Elle est fort élégante, selon le clerc de l'hôtel de ville.

– La demeure ou la femme ?

– Les deux, selon le clerc.

Patterson posa les yeux sur la carte une fois de plus, puis consulta sa montre, et dit :

– Bon ! Assez discuté. Je dois me mettre en route si je veux voir les trois propriétés avant que le jour tombe.

– Laissez-moi vous accompagner, *sir*.

– Merci, constable, mais j'aurai peut-être besoin de vous ici, plus tard.

• • •

Patterson eut l'impression d'avoir perdu son temps en s'attardant aux deux premières propriétés.

À la demeure de l'homme d'affaires macanais, il avait découvert une meute de petits chiens frisés, à la voix fort aiguë, ou disons plutôt que la meute l'avait découvert. On sonna le maître de la maison, qui invita Patterson à reprendre ses esprits en sirotant une tasse de thé sur la terrasse, couverte de vignes florissantes. Le policier put observer le propriétaire des lieux à loisir. C'était un homme consumé par l'amour de l'argent, et non pas intéressé par la beauté des hommes.

L'homme aux cerfs-volants de la deuxième propriété était manifestement sensible à la beauté des hommes, mais son regard d'héritier fou n'avait rien en commun avec celui que Patterson avait croisé lors du typhon de 1906. Même un grand acteur ne pouvait feindre une telle folie. Cet homme n'était pas le dragon.

Patterson se demanda s'il avait encore manqué de jugement. Le jour tombait, et ce n'était pas le moment d'avoir des doutes. Il restait la propriété de cette madame Lung. Au moins, la maison et la femme valaient le déplacement.

•••

Il ignora l'entrée qui donnait sur la rue. Elle était pourtant parée d'une myriade d'orchidées plantées dans des pots en porcelaine. Mais la porte semblait peu utilisée et donnait l'impression qu'on ne se prêtait guère à l'ostentation dans cette demeure. Le sergent poussa plutôt la grille de fer forgé de la cour, qui céda sous son impulsion. D'instinct, il sentit qu'il y avait quelque chose d'anormal. À Hong Kong, on barrait les grilles pendant la sieste. Le calme qui régnait dans le jardin ne le surprit pas à ce moment ensommeillé du jour. C'est l'odeur qui le surprit. L'odeur douçâtre de la mort récente.

Il referma précautionneusement la grille derrière lui, puis fit quelques pas, le corps en alerte, en direction de la demeure. Il n'eut pas la possibilité d'en constater l'élégance. Le mur de la maison mitraillé de gouttes de sang le fit tressaillir. «*Good Lord!*» murmura-t-il. Le corps d'une vieille femme gisait au bas d'un escalier; on aurait dit qu'elle avait deux bouches entrouvertes, dont une sanguinolente. *Les triades!* se dit-il. Les gorges inoffensives tranchées d'une lame étaient leur carte de visite. Il serait mort en mettant les pieds dans la cour si l'agresseur était toujours tapi dans ces lieux; alors, Patterson s'agenouilla à côté de la dépouille sans prendre la peine de scruter les environs. Il enleva son chapeau et le plaça avec respect sur le visage grimaçant de la servante assassinée, tout en sortant son pistolet de la poche de sa veste de l'autre main.

Au même moment, provenant de l'étage, il perçut des bruits de lutte qui brisèrent le silence. Puis, un *argh !* étouffé.

Patterson s'élança dans l'escalier d'un pas aussi vif que silencieux. Il monta les marches trois à trois et pénétra prudemment dans la maison, pistolet braqué, par une des portes entrouvertes de la loggia.

Il vit une scène inouïe.

Pendant une fraction de seconde, Patterson pensa que sa vue, s'ajustant à la lumière intérieure, lui jouait un tour. Mais non. Une femme eurasienne, élancée et vêtue d'une tunique de soie blanche constellée de taches rouges se tenait debout, les jambes écartées, les mains et les bras dans la position d'attaque du tigre céleste. Un cadavre décapité gisait à ses pieds. La tête se trouvait un peu plus loin, près d'une table en rotin et d'une chaise renversée, où se tenait un homme chinois, torse nu, avec un pinceau de calligraphie à la main. *Li !* Patterson n'eut aucun doute sur l'identité de l'homme. Ses cheveux lourds et longs jusqu'aux reins encadraient son visage qui, malgré la stupeur qui s'y lisait, restait d'une étonnante beauté.

Li s'élança vers le sergent, mais Lung lui dit : « Non ! » et il stoppa son élan. Lung avait reconnu Patterson.

Le regard du policier se posa de nouveau sur la femme, qui s'était vivement tournée vers lui, prête à l'assaut. Il tenait son arme pointée dans sa direction. Ce n'était pas une simple femme. Elle avait le regard noir et profond comme le creux de la terre, le même regard que celui du dragon qui l'avait survolé lors de ce terrible soir de typhon.

Lung s'adressa à lui d'une voix sourde et teintée de menace :

— Que faites-vous ici, policier ?

— Est-ce Li ? dit Patterson.

— Qu'importe ? répondit-elle, les jambes fléchissantes, prêtes à bondir sur lui.

— Et vous êtes sa protectrice ?

Un grondement sortit de la gorge de Lung. Patterson sentit l'imminence de l'attaque, et lâcha avec empressement :

— Je suis venu pour aider Li !

Lung ne baissa pas sa garde, mais semblait tout à coup prête à l'écouter :

— Expliquez-vous !

Patterson devait être convaincant, sinon sa tête risquait de rouler, comme celle de son prédécesseur, mais il choisit de baisser son pistolet, de se tourner légèrement, et de s'adresser directement à Li, qui était toujours prêt à bondir :

— Je sais quel genre de vie tu mènes, Li. Tu prenais soin de ta mère en digne fils, malgré l'adversité.

———

265

Tu l'as défendue jusqu'à la toute fin. Je me fais vieux, et je ne peux tolérer qu'un abject marin anglais cause ta perte. Tu n'as aucune chance de survie si tu restes sur l'île. Je veux te donner une chance, jeune homme.

Li accusa le coup. Il cacha son émotion.

Patterson continua en se tournant de nouveau vers Lung :

– Madame, je vous en prie, cédez au caprice d'un vieux policier qui a trop souvent échoué lorsqu'il était question de faire régner la justice. Laissez-moi l'aider.

Lung sentit que Patterson était sincère. Depuis le temps qu'elle l'observait, elle le savait bon. Cet homme ne se fiait pas aux apparences et passait outre les règlements pour venir en aide aux petites gens. Il s'était même mis en péril pour aider la population du port le soir du typhon. Les arguments du sergent ne s'opposaient pas aux siens. Lung savait que son cœur millénaire allait se briser si elle perdait Li. Mais les triades avaient repéré son amoureux et voulaient en faire un exemple pour tous les mauvais payeurs de cette ville. Si Li ne s'échappait pas, il était un homme mort. Elle avait réussi à anéantir le fier-à-bras que les triades avaient envoyé cet après-midi, mais de nombreux autres peuplaient les rangs de ces criminels. Dix têtes remplaceraient celle qui avait roulé aujourd'hui. Il fallait sortir Li de Hong Kong.

Lung baissa sa garde, et Li parla :

– Monsieur, j'ignore pourquoi vous vous mettez en péril pour aider un homme tel que moi, mais je vous remercie. Votre geste s'ajoute aux nombreux événements des derniers jours que je ne comprends pas. Je sais par contre que d'autres, innocents, mourront à cause de moi si je ne quitte pas cette ville. Et vous, ma très chère, poursuivit Li d'une voix plus douce en s'approchant de Lung, je ne pourrais tolérer que l'on vous fasse du mal. Je dois partir.

Pour toute réponse, Lung toucha de ses deux mains le magnifique visage de Li.

Ce dernier prit les mains de la femme dans les siennes, les baisa et s'adressa de nouveau à Patterson :

– Je suis prêt à vous écouter, monsieur.

– Alors, il n'y a pas une minute à perdre. Quand ce bougre tardera à rentrer ce soir, les triades reviendront à la charge avec une fureur redoublée. Il nous faut aussi cacher le corps de cette pauvre femme, en bas, et effacer les traces du méfait ; sinon, les autres donneront l'alerte à leur retour de la sieste. Après, je vous ferai part de mon plan.

• • •

———

Après avoir refermé la porte sur les deux corps transportés dans l'antichambre et nettoyé en vitesse toute trace de sang avant que la maisonnée se réveille, Li, Lung et Patterson s'installèrent pour orchestrer l'exode du jeune Chinois.

Li acquiesçait aux paroles de sa protectrice et du policier écossais. Sa personne entière était secouée par la tournure qu'avait prise sa vie au cours des derniers jours. Lui, un simple coolie. Il se contentait d'exprimer son entière reconnaissance aux deux êtres d'exception qui mettaient leur honneur en péril pour le tirer d'affaire.

Le *RMS Empress of China* appareillait le lendemain matin, en partance pour une ville nommée Vancouver, dans le Dominion du Canada. Li serait au nombre de ses passagers.

28

À la tombée du jour, le plan de fuite fut mis à exécution. Une jeune servante s'esquiva du jardin et se dirigea, d'un pas certain, vers le funiculaire du Peak, avec un message à remettre au constable Singh, au poste de police. Elle s'embarqua dans le funiculaire bondé et fit mine de se trouver chanceuse d'avoir une place aux côtés de sa cousine, servante comme elle dans une autre maison, mais qui rentrait chez ses parents tous les soirs parce que son père était malade. Elles échangèrent quelques mots et se tinrent la main, comme d'habitude, trop crevées qu'elles étaient, après leur journée de travail, pour converser longuement. Elles se séparèrent au terminus, tout en bas, et disparurent chacune de leur côté dans l'enchevêtrement de venelles animées de la basse-ville.

La servante de Lung ne se rendit jamais au poste. Elle sillonna les ruelles bourdonnantes du marché de nuit pour étourdir le colosse des triades qui la suivait depuis sa sortie de chez sa maîtresse, comme un canard entraîne un chien retriever au large d'un lac pour l'épuiser. Elle réussit finalement à se faufiler au-devant d'un groupe de jeunes femmes qui marchaient sans empressement dans la chaleur nocturne, heureuses de se faire voir, éventail à la main, vêtues de tuniques étroites. La servante de Lung s'engouffra, sans se faire repérer, dans la pâtisserie d'un lointain cousin. Au même moment, sa cousine pénétrait dans le bâtiment de la police.

Singh lut sans sourciller le message que lui avait apporté la jeune femme. Puis, il l'invita à s'asseoir et lui demanda d'attendre. Sans questionner les motivations de son sergent, sachant fort bien qu'il se compromettait en choisissant de lui demeurer loyal, Singh monta dans le bureau de Patterson pour exécuter sa demande. Il trouva un des uniformes du sergent accroché dans la penderie avec un képi et des bottines. Il se pencha et passa sa main sous le bord du bureau pour y trouver la clé du tiroir qui y était cachée. Il sortit les lunettes à lentilles rondes et épaisses du compartiment coulissant, ainsi que le passeport d'un riche Hongkongais dans la trentaine, qui avait été retrouvé mort dans sa couche sur un *steamer* en provenance d'Australie, quelques jours auparavant. Il en sortit aussi une paire de menottes. Singh enveloppa tous ces articles dans du papier brun qu'il noua d'une solide ficelle pour faciliter leur transport.

Il remit le paquet à la fille en l'enjoignant à faire vite et à agir avec prudence. Elle remercia discrètement le constable et sortit du poste avec son paquet sous le bras.

Queen's Road était bondée. Elle héla un *rickshaw* dans la cohue, et y monta. Mais le *rickshaw* avançait lentement dans le trafic, et il fut bientôt doublé par un autre *rickshaw*, celui-ci tiré par les mollets les plus solides de la flotte. La petite jeta un regard furtif autour d'elle, aux gens dans la rue. On ne s'occupait pas d'elle. Elle lança donc, subrepticement, son colis dans le pousse-pousse vide lorsque les deux véhicules se trouvèrent côte à côte. Puis, le *rickshaw* portant le colis vira à droite, se dirigeant vers le Peak, tandis que la servante, dans le sien, entraînait quiconque aurait le goût de la prendre en filature dans un tortueux *city tour by night*.

Singh quitta le poste et se dirigea vers l'imposant édifice à colonnades de la Hong Kong Bank. Il avait un retrait à faire, puis un billet de bateau à acheter.

Dans la chambre de l'élégante demeure de Conduit Road, on se faisait discret en attendant l'arrivée de l'uniforme de Patterson et des articles qui serviraient à la mascarade de Li. Il restait une nuit à passer avant que l'*Empress* lève l'ancre.

Lung ordonna que l'on porte de l'eau chaude au pied de l'escalier pour le bain de Patterson. Le sergent avait des douleurs au corps, et cet après-midi l'avait éprouvé. Elle la monta elle-même. Puis, Lung descendit dans la cuisine, où les fers chauffaient en permanence sur le poêle, et repassa avec soin l'habit de gentleman du sergent que Li, son amour, allait revêtir pendant le voyage qui l'emmènerait loin d'elle. Les jeunes servantes affairées rentraient et sortaient de la cuisine et sursautaient de voir Lung là. Elles s'offraient pour accomplir la besogne, mais Lung refusait que l'on touche à l'habit du sergent. Les filles s'étonnaient de l'absence de la vieille cuisinière. Lung songea qu'elle devrait transporter les deux corps au loin, dans les montagnes de Kowloon. Elle porterait les offrandes de circonstance au temple pour la sauvegarde de l'âme de la femme. Mais avant, il lui fallait vivre cette pénible nuit.

Lung croisa une servante en sortant de la cuisine :

– Envoie Fu le muet à ma chambre.

La servante, surprise que Lung demande que quelqu'un pénètre dans sa chambre, alors qu'elle vivait recluse depuis de longs jours, répondit :

– Dans votre chambre ?

– Ne me fais pas répéter, fille ; sinon, c'est moi-même qui te laverai les oreilles.

Dans la chambre en hauteur, Li était accroupi près du bain fumant et écoutait Patterson lui expliquer, tantôt en cantonais, tantôt en anglais, une langue dont il connaissait les rudiments les plus simples pour avoir chargé des bateaux britanniques, en quoi consistait la vie à bord d'un navire. Li ne connaissait que les cales des bateaux. Il ne savait rien de la vie en mer, de l'air pur sur le pont, du luxe des cabines, des repas pris dans une salle à manger, du maniement des fourchettes ; il n'avait pas l'habitude de s'asseoir sur des chaises rembourrées ou de dormir dans une couchette.

Li voyagerait en première, là où l'on ne chercherait pas un va-nu-pieds de coolie. Patterson avait peu de temps pour lui apprendre les règles de la civilité anglaise.

Lung écoutait l'échange entre les deux hommes. Elle avait épousseté la malle de cabine de son ensemble de voyage et se demandait quoi y mettre, en si peu de temps, pour un si long voyage. Le vaisseau canadien serait luxueux, mais elle décida d'y mettre un drap de soie fine, dans lequel elle enveloppa le magnifique oreiller en porcelaine que la tête de Li avait tant apprécié. Il serait confortable et au frais pour dormir, quoi qu'il advienne. Elle regarda un peu partout dans la chambre. Ses accessoires de calligraphie gisaient éparpillés sur la table de rotin. Elle les nettoya avec attention et les mit dans la malle avec quelques rouleaux de papier de riz.

Son cœur se serrait chaque fois qu'elle entendait la voix posée du jeune homme et la justesse de ses questions. Il savait écouter aussi. Elle refusait de se laisser envahir par le regret en raison de leur idylle avortée. Elle ressentait comme une morsure le désir qu'elle avait pour lui.

Li la regardait se mouvoir aussi, et son désir pour elle montait. Patterson, qui n'était pas insensible aux appétits de la chair, sentait l'exquise tension dans la chambre aux lumières tamisées.

Toc, toc ! entendit-on.

Fu le muet, le plus vieux des deux jardiniers qui travaillaient pour Lung, cogna sur le volet. Les hommes figèrent. Elle les regarda pour leur signifier que tout était correct, et somma Fu d'entrer. Elle l'avait embauché des années plus tôt, autant pour son mutisme que pour ses aptitudes horticoles. Les jacassements continus des domestiques l'assommaient. Il entra dans la chambre, et en serviteur fidèle qui savait bien d'où venait son salaire, il fixa son regard sur Lung. Il ne laissa pas errer ses yeux sur les deux hommes dans la chambre.

– Fu, j'ai deux services à te demander.

L'homme fit un signe de tête pour montrer qu'il avait compris.

– D'abord, tu dois préparer un paquet dans lequel tu mettras une petite poignée de semences de légumes, d'herbes et de fleurs médicinales de notre jardin. Enveloppe-les de sorte qu'elles soient à l'abri de l'humidité.

Fu acquiesça de nouveau d'un signe de tête.

– Sais-tu écrire ? lui demanda-t-elle ensuite.

Le jardinier fit non du chef.

– Bien. C'est ce que je pensais. Tu es en droit de refuser ma prochaine demande sans que ta place chez moi soit mise en péril.

Fu se raidit, anticipant la teneur des paroles à venir.

– J'ai besoin que tu feignes d'être une personne que tu n'es pas. Pendant peu de temps. Le temps de descendre le Peak et de te rendre au poste de police en compagnie de l'homme qui est dans le bain...

Lung indiqua Patterson d'un mouvement gracieux du bras, et Fu se tourna vers l'homme à la moustache rousse, dont le torse et la tête dépassaient d'une haute cuve en laiton. Patterson le salua d'un mouvement de la main. *Quel démon poilu*, pensa Fu.

Lung continua :

– Tu seras vêtu de haillons, tes mains seront menottées comme celles d'un forçat et tu marcheras la tête baissée sous ton chapeau de paille. Tu seras libéré sitôt arrivé au poste.

Le jardinier clignait des yeux pour mieux se figurer la scène.

– Ce que je te demande mettra ta vie en péril. L'homme que tu remplaceras, si tu acceptes, est traqué par toutes les forces de la ville. Si tu es pris, tu paieras de ta vie de ne pouvoir parler. Alors, pour te remercier, je doublerai ton salaire à vie. Si le pire survient, je doublerai ton salaire et le paierai à tes descendants, tant et aussi longtemps que tu auras un descendant pour le réclamer.

Fu, à qui on n'avait jamais fait une offre aussi alléchante, et qui voulait volontiers gagner un salaire plus élevé, fut convaincu qu'il s'agissait d'une bonne affaire, mort ou vif. Il fit *oui* de la tête.

– Tu as bien compris, Fu ?

Il fit *oui* de nouveau, en inclinant légèrement son torse pour montrer à Lung qu'il avait compris et qu'il se soumettait à sa demande.

Lung, Li et Patterson, de concert, prirent une grande inspiration, soulagés.

– Merci, Fu, dit Lung.

– Maîtresse !

On appelait Lung du bas de l'escalier. Une fille se trouvait à la porte de la grille et avait un paquet qu'elle était sommée de remettre en mains propres à maîtresse Lung.

– Allez ouste, Fu. Va embrasser tes enfants, et reviens avant l'aube avec les semences et ton courage.

Lung descendit chercher le paquet et paya grassement la fille pour le risque qu'elle avait pris et pour son silence.

Quand elle remonta, Patterson était sorti du bain et avait noué une serviette autour de sa taille. Femme ou dragon, il était pudique !

Il défit le paquet. Tout y était.

— Amis, je vais m'habiller à l'instant et vous laisser un peu… Comment dirais-je… J'aimerais prendre un peu l'air. Madame, serait-il possible de me faire préparer du thé ? J'aimerais le prendre au jardin avec le ciel pour seule compagnie.

— Assurément, sergent. Tout ce que vous voudrez.

— L'homme à qui a appartenu ce passeport avait les cheveux courts d'un gentleman moderne. Il portait des lunettes, aussi. Êtes-vous capable de manier les ciseaux, madame ?

— Je peux faire tout ce que le besoin dicte, répondit Lung.

— Singh a réservé le billet sous ce nom, il faudrait que le subterfuge soit le plus convaincant possible.

— Tout à fait.

— Et madame, ajouta Patterson en toussotant, ce garçon aura besoin d'argent.

— Je fais préparer votre thé, ami, et je fais porter une chaise longue dans le jardin pour que vous vous

reposiez avant les événements à venir. Je m'occupe-
rai du reste.

– Merci.

– C'est moi qui ne saurai jamais comment vous
remercier.

● ● ●

Elle prit les ciseaux dorés qui se trouvaient
dans le tiroir de sa table en rotin, et les posa par
terre à côté du matelas. Li se leva du bain, les cheveux ruisselants sur le dos. Il prit la serviette sur le
bord de la grande cuve de laiton, mais elle inter-
rompit son geste :

– Laisse-moi faire, lui dit-elle.

Entourés de cheveux et de soie, ils s'aimèrent
d'une façon telle qu'ils ne pourraient jamais
s'oublier.

2010

29

Je m'étais levée avec une pluie de samedi matin qui battait les fenêtres du motel et la tôle des autos stationnées docilement en rangs bien droits devant les portes des chambres. *No Vacancy.* La météo avait annoncé du beau temps.

À part les merles, qui profitaient de la pluie en avalant tous les vers qui étaient sortis se faire laver, le motel était au repos. À travers le feutré des cloisons, j'avais perçu des voix, le son d'un rideau tiré pour voir le temps qu'il fait, puis celui d'une chasse d'eau, et le silence était revenu. La pluie, lors des vacances, nous donnait l'occasion de voler du repos, de nous réparer.

Je n'avais jamais eu le sommeil facile, mais la perspective de revoir petit Bouddha et Ping Ping avait rayé d'un trait toute possibilité de me rendormir.

J'essayais de lire, mais le son de la pluie me transportait vers des horizons mouillés, des horizons d'eau et de mer. Je pensais à cette soirée magique où nous étions allés nous baigner dans la baie, en banlieue de la ville, parmi les cargos de conteneurs et un millier de filles qui venaient de terminer leur journée à l'usine. Ton fils était avec nous. Vous étiez si propres dans votre peau luisante, comme une combinaison sous-marine, vêtus seulement de vos caleçons blancs. Les mêmes pour toi à quarante ans, que pour lui à huit. Je me suis dit : *Je suis dans les années 1960.* Les filles portaient des costumes de bain en coton épais, avec des coussinets qui leur faisaient des seins, et des jupettes qui ruisselaient quand elles sortaient de l'eau. Elles riaient quand elles m'apercevaient, barbotant dans la pénombre. Elles criaient à leurs amies : « Venez voir ! » Et elles me demandaient : *« Are you American ? »* La plage était faite d'écailles d'huîtres qui blessaient les pieds, alors tu m'avais prise dans tes bras en sortant de l'eau pour me transporter jusqu'à l'auto. Les petites sirènes avaient émis des *oh !* Leurs yeux n'étaient pas préparés à ce qu'elles voyaient pour la première fois : l'intimité entre une Blanche et un homme qui aurait dû être à elles. Nous avions honoré notre témérité toute la nuit.

Je revoyais en boucle ces images, lorsque la sonnerie du téléphone m'a ramenée dans la chambre numéro 9 du motel Memphré :

– J'ai Madeleine au téléphone. Je la trouve effrontée d'appeler avant neuf heures un samedi matin. Veux-tu que je te la transfère quand même?

C'était monsieur Théoret.

– Oui, oui, je suis debout depuis longtemps. Elle ne vous a pas réveillé, toujours?

– Non, elle ne m'a pas réveillé. Elle m'a juste énervé. Raccroche et je te transfère l'appel.

Madeleine le requin parfumé. Je sentais le poudré de son Opium à travers les petits trous du haut-parleur du téléphone. Je cherchais une raison pour lui imputer mon irritation, mais elle ne faisait que son boulot, elle prononçait les mots que les propriétaires voulaient entendre:

– On a une offre. Une belle. Rubis sur la Rive est prête à mettre le paquet.

– Madeleine, je…

Elle m'a coupé la parole en dirigeant mon esprit ébranlé vers la maison sur la pointe; elle m'a parlé du toit, qui était à refaire, de la taille démesurée de la propriété pour une célibataire. Elle m'a aussi rappelé que l'hiver, la maison était coûteuse à chauffer. Elle a évoqué une foule d'autres raisons qui rendraient mon existence difficile si je la gardais. Elle avait conclu sa tirade en me spécifiant que c'était le temps de vendre, pendant qu'il y avait un certain engouement pour l'achat de propriétés. Madeleine faisait de l'excellent boulot.

Depuis mon retour, j'appréhendais ces paroles, celles qui me mettaient devant la décision la plus difficile à prendre : vendre la maison. La marina qu'avait décrite monsieur Théoret me donnait des crampes au ventre. Vendre, c'était l'amputation.

Mon silence a inquiété Madeleine :

— T'es même pas curieuse de savoir combien ils t'offrent ?

— Vas-y, lui ai-je répondu.

Elle a dit un gros chiffre. Il m'a estomaquée. Un nombre d'une rondeur que même un être désintéressé aurait du mal à ignorer.

— Merde, ai-je répondu.

— Tu me fais rire, Sylvie. On ne sait jamais à quoi s'attendre avec toi !

Dans le jeu de l'achat et de la vente, une règle n'était jamais brisée. Qu'il s'agisse des souks, des puces, des *back stores* de Hong Kong ou des concessionnaires Mitsubishi sur la 112, l'acheteur ouvrait la danse avec une mise au plus bas, et c'est le vendeur qui s'arrangeait pour faire monter les enchères. Le montant que Rubis offrait brisait carrément cette règle. Madeleine m'apportait le fruit de sa chasse sur un plateau d'argent : une somme princière pour la dernière propriété sur la pointe.

– Eh ! ho ! Sylvie ! Je ne t'entends plus, là. Tu penses à quoi ?

– Je pense que je ne veux pas les voir, Madeleine. Je ne veux pas voir ces gens-là.

– Écoute-moi bien, t'es pas obligée de les voir, t'es pas obligée de faire quoi que ce soit qui te dérange. Je peux négocier directement avec eux.

– Tu veux dire qu'on peut encore négocier ? On peut avoir un prix encore meilleur ?

C'était le comble.

– C'est de l'or en barre, cette propriété-là ; et puis, c'était leur première offre. C'est certain qu'ils ont un montant en réserve pour un *come-back*.

– On dirait que c'est moi qui ai la meilleure main.

– Exactement !

Silence.

Madeleine n'était pas du genre patient :

– On peut-tu régler ça en fin de semaine ? Tu serais débarrassée.

– Je ne sais pas. Je ne suis pas rentrée dans la maison depuis mon retour. Tu sais, j'ai été occupée par les rénovations du local.

– Écoute-moi bien. Il est temps que tu ailles faire un tour là-bas. Tu vas t'apercevoir à quel point la maison a souffert. J'veux pas te blâmer, mais une maison, ça s'entretient. Il est temps que tu penses à toi, et que tu tournes la page. Pis pense au chiffre que je viens de te donner. Tu pourrais vivre où tu veux avec ça, pis longtemps !

– Tu as peut-être raison.

Je ne pouvais pas m'empêcher de faire le calcul rapide de la commission que toucherait Madeleine et de douter de ses bonnes intentions à mon égard.

– J'ai des boîtes à aller porter de toute façon. J'irai faire mon tour cet après-midi.

– Tu sais, une offre comme ça, il faut sauter dessus le plus vite possible. Rubis te fait une offre incroyable. N'attends pas qu'ils se réveillent et qu'ils changent d'idée. Je n'ai encore rien sur papier.

J'avais le goût de lui dire à quel point l'expression « sauter dessus » m'horripilait, mais au lieu de cela, je lui ai dit :

– Je comprends, mais j'aurais voulu plus de temps.

– Le temps, c'est du luxe.

J'ai regardé l'heure sur le réveil de la table de chevet. Il était huit heures cinquante. Il était temps de raccrocher.

– Je te laisse, Madeleine. Je rencontre des amis à la boutique ce matin. Je te rappelle demain.

• • •

Je les ai vus dès que la Panthère est arrivée dans le stationnement, à l'arrière de l'immeuble où j'avais loué mon local, sur la rue Principale. Deux enfants chinois accroupis sous un parapluie ruisselant de pluie, concentrés sur un amas de fleurs bleues dans le talus, près de la voie ferrée. De loin, Ping Ping avait l'air d'une petite fille. Les places du stationnement étaient presque toutes prises, sans doute par les commis des boutiques et les déjeuneurs du samedi qui flânaient. Une vieille camionnette variolée de rouille était garée dans la place numéro 18 de madame Lapointe. Mon emplacement *réservé* était libre, et je m'y suis garée pour la première fois, puisque Jean, d'habitude, l'occupait.

J'ai ouvert mon parapluie, et me suis avancée vers petit Bouddha et sa sœur, toujours absorbés :

– Bonjour, leur ai-je dit.

– Bonjour, a dit Ping Ping sans se lever.

Petit Bouddha examinait une à une les pétales des fleurs, et les caressait du bout des doigts, comme on caresse la peau d'un ancien amant retrouvé, pour se la réapproprier.

– Je suis désolée de vous avoir fait attendre sous cette pluie !

– Non, non, c'est nous qui sommes en avance. La pratique de soccer de Louis a été annulée à cause du mauvais temps, alors nous sommes arrivés plus tôt.

Les enfants ne semblaient pas vouloir se relever, alors je me suis assise sur mes talons, comme eux, près du talus. Nous devions faire belle figure sous cette pluie qui tombait comme des cordes.

– Je ne connais pas cette plante, ai-je dit, en m'adressant cette fois à petit Bouddha.

– Ce n'est pas une plante indigène. Elle donne un fruit, une baie qui est excellente pour la santé des yeux, a-t-il répondu en me regardant enfin.

Et de nouveau, le choc de sa beauté. L'étonnement de son regard si pur, au-dessus de ses pommettes saillantes. Son regard implacable de primate, d'homme en devenir. Il en avait d'ailleurs l'assurance.

J'ai continué à parler comme une écervelée. Je perdais mes moyens en raison de son regard :

– Ah, oui ? Elles sont très belles en tout cas. J'aime beaucoup cette couleur, ce bleu, en fait, j'aime toutes les couleurs, ben... Certaines plus que d'autres, évidemment...

Petit Bouddha me fixait résolument, et avec tout son aplomb, il a dit :

– Toutes les couleurs sont dans la nature, Sylvie. Mais il est bon de se méfier quand même de certaines d'entre elles. Elles peuvent embrouiller notre âme.

Étonnée par la tournure de la conversation, je lui ai demandé :

– Peux-tu me donner un exemple ?

– Par exemple, rubis. Rubis est une couleur si éclatante qu'elle peut nous faire dévier de notre droit chemin.

– Rub…

Tut ! Tut !

Un klaxon m'a fait sursauter, et toutes deux, Ping Ping et moi, avons poussé un petit cri.

Le pare-chocs au sourire sadique d'une grosse bagnole s'est arrêté à quelques pieds de nous. Les essuie-glaces se déhanchaient à cent milles à l'heure dans la pluie. Monsieur Lapointe était au volant.

– C'est mon propriétaire.

Il nous dévisageait avec ses yeux creux, surtout petit Bouddha.

Son regard m'a fait me relever; je voulais me faire grande et être prête à l'attaque. Il a baissé sa vitre électrique d'auto de luxe:

– Qu'est-ce que je peux faire pour vous, monsieur Lapointe?

– J'aimerais qu'on libère le stationnement de ma femme. Les Chinois savent pas lire le mot «réservé», ça a l'air, a-t-il dit, en montrant la vieille camionnette garée dans le numéro 18.

– Ça n'a rien à voir avec nous, cette camionnette-là, ai-je répondu, prise de court.

– Sylvie, un instant, a dit Ping Ping en se levant à son tour et en se mettant à l'abri sous mon parapluie. La camionnette est à moi, monsieur. Je suis désolée de vous avoir dérangé, je vais la déplacer tout de suite.

– Il me semblait, aussi, a dit l'homme d'un ton malveillant.

Il a continué en s'adressant à moi.

– Avec les années, à force de travailler avec le public, on en voit de toutes les couleurs. On vient qu'on a le pif pour repérer les faiseurs de trouble.

En disant cela, il avait cessé de me regarder et s'était mis à fixer avec insistance le petit Louis, immobile et toujours accroupi.

Je me suis ressaisie, et j'ai dit :

– Mes amis sont ici pour quelques minutes seulement, le temps de leur montrer mon local. Je vous saurais gré d'être un peu patient, monsieur Lapointe.

– Prenez vos petites minutes, *mamzelle* Matthews, mais apprenez à gérer vos affaires, a-t-il dit en remontant sa vitre pour m'empêcher d'avoir le dernier mot.

Il a embrayé. J'ai instinctivement mis mon bras autour des épaules de Ping Ping et j'ai jeté un coup d'œil derrière moi pour repérer Louis. Il n'était plus là.

Monsieur Lapointe avait fait marche arrière et s'était dirigé à reculons vers l'entrée du stationnement. Et mon œil a perçu petit Bouddha qui montait les marches en direction du local.

• • •

L'énergie qui se dégageait des murs, sur lesquels on avait écrit des milliers de fois, d'une main appliquée, les minuscules *je t'aime,* fit fondre en larmes petit Bouddha. Il s'assit sur le plancher et pleura.

Jean et moi n'avions pas compris la signification de ces mots. Nous avions seulement été sensibles au visuel de ce torrent de répétitions. Maintenant que le sens de ces mots m'était révélé, la puissance de la passion qui avait animé le calligraphe m'atteignit de plein fouet.

Je pris la main de Ping Ping pour l'inviter à s'asseoir près de moi, à côté de son petit frère sensible.

Nous nous sommes laissé pénétrer par l'énergie de cette passion.

30

J'avais laissé les enfants dans le stationnement, au bas de l'escalier. Petit Bouddha s'était levé et avait dit qu'il était temps de partir. Ping Ping devait rentrer au restaurant pour le quart du dîner. Cette pluie éradiquait la possibilité de manger dans les casse-croûte, à l'extérieur, au bord de la route ou dans les haltes routières. Ce serait plein chez Won Ton ce midi.

Je leur ai dit :

– À bientôt. La prochaine fois, je vous invite chez moi.

Chez moi.

Au volant de la Panthère, j'ai mis le cap sur mon chez-moi. Pour la première fois depuis des années, je rentrais chez moi, à la maison sur la pointe. Et non pas chez mon grand-père. Le mépris de monsieur Lapointe m'avait donné cela, le sens de la propriété. À la boutique, j'étais locataire, soumise aux humeurs d'un propriétaire grossier ; en Chine, j'avais habité ton appartement, j'avais visité ta famille, j'avais épousé ta vie. Mais à la pointe, j'étais la maîtresse de la maison. Je retournais chez moi.

Sous la pluie et l'emprise des vignes sauvages, la maison avait le même air robuste et un peu bourru que les Écossais qui l'avaient fait vivre. Mon grand-père avait été l'un des derniers aventuriers écossais à participer à la fondation du pays, armés de leurs deniers, de leur impétuosité et de leur excentricité. C'étaient des romantiques. Seul le romantisme pouvait expliquer le cadeau de cette propriété.

Mon grand-père, jeune marin, avait rencontré le vieux monsieur Allen sur le quai de Saltcoats en Écosse. Le vieil homme dépérissait. Usé par la gestion de son empire qui avait vu le jour avec les premiers transatlantiques à vapeur, usé par les scandales politiques et par la fondation du Canada. Son intuition, et son souffle, que même le meilleur scotch ne lui permettait plus de maîtriser, lui disaient que sa fin approchait. Alors, il était allé mourir en terre natale.

Il avait réglé ses affaires, sauf une qui lui tenait particulièrement à cœur. Il cherchait le meilleur capitaine de bateau à aubes pour faire naviguer et chérir sa *Mistress of the Lake,* laissée derrière sur son grand lac, au sud-est de Montréal. La *Mistress of the Lake,* la prunelle de ses yeux.

On avait envoyé chercher mon grand-père au fin fond de l'Inverness, sur le pont de son navire, sur le lac Ness. Mon grand-père était un navigateur accompli, ayant pris la mer à un âge très jeune. Mais les émotions de la mer ne lui seyaient pas, il préférait la constance des lacs. Cette qualité, et son don exceptionnel pour la mécanique, avaient fait sa renommée auprès des marins du pays. La mécanique d'un bateau à roue à aubes nécessitait des soins particuliers et constants, et le vaisseau de monsieur Allen était une capricieuse maîtresse. Elle se mouvait dans l'eau par l'action de deux formidables roues, au lieu d'une. Le vieux millionnaire n'aimait pas les demi-mesures.

Monsieur Allen avait pris la main que le jeune Matthews lui tendait. Une poignée de main ne reflétait pas la volonté ou le cœur d'un matelot, monsieur Allen le savait bien. Il voulait plutôt sentir la force de Matthews, son cuir, sa rudesse, et ainsi jauger le marin. La peau rêche de Matthews avait passé le test, le fond de ses yeux bleus aussi. Le vieux magnat, habitué à choisir des hommes qui avaient du cœur à l'ouvrage, y avait vu un être droit.

– Votre réputation de marin vous précède, jeune homme.

– Ce n'est que ouï-dire, avait répondu humblement Matthews, en retroussant les manches de son maillot de laine, un tic nerveux qu'il avait quand certaines paroles le mettaient mal à l'aise.

Et le sort de Matthews avait été scellé. Car là, sur l'avant-bras solide du gaillard, le vieux monsieur Allen avait reconnu une marque de distinction : le tatouage d'un élégant dragon aux ailes de cormoran et aux pattes palmées. Un dragon des eaux. Ce tatouage, monsieur Allen le connaissait bien. Il en avait un semblable sur sa peau, depuis longtemps plissée, juste au-dessus de son cœur.

— Étrange tatouage que vous avez là, avait dit monsieur Allen.

Matthews avait pris le temps de regarder, à son tour, l'homme dans les yeux ; il avait le souffle défaillant, mais cet après-midi, sur ce quai, il pouvait changer le cours de sa vie. Avouer qu'il avait vu *Niseag*, le dragon des eaux, même dans sa jeunesse, pourrait lui coûter sa chance. On ne prenait guère au sérieux les récits de ses apparitions. Paraître léger ou écervelé pourrait le compromettre, mais il n'était pas doué pour les faux-fuyants, et le vieil homme avait l'air d'un homme juste. Alors, il avait répondu franchement :

— Les lacs ont leurs mystères. Cette bête me rappelle à l'ordre quand je me sens trop téméraire. Elle est ma protectrice.

Monsieur Allen avait apprécié la réponse de Matthews, y reconnaissant la même prudence que la sienne, depuis que lui-même avait vu semblable dragon dans son grand lac au Québec. Sa décision était prise.

— Êtes-vous prêt à recommencer votre vie, jeune Matthews du Loch Ness?

— Oui, *sir*.

— Alors, vous êtes mon homme. Restez vous-même, et la compagnie s'occupera de vous. Vous avez ma parole.

— Et vous avez la mienne, *sir*.

Après une formation payée par monsieur Allen afin qu'il puisse porter ses galons de capitaine, grand-père était débarqué à Montréal avec une lettre d'introduction à présenter aux bureaux de l'Allen Line. En tant que nouveau capitaine et nouveau gardien de la *Mistress of the Lake,* on l'installa à Lake House, sur la pointe, de l'autre côté de la baie; la maison était parallèle au quai où il amarrait le vaisseau. Grand-père pouvait le voir de la fenêtre de sa chambre, tout en haut, à son lever comme à son coucher, et veiller sur lui comme il avait promis de le faire.

Il avait passé le plus clair de son temps à naviguer et à astiquer la *Mistress*. C'est après le démantèlement du bateau, pendant la Première Grande Guerre, qu'il a compris jusqu'à quel point il aimait la maison dessinée par Edward et William Maxwell, les architectes favoris de monsieur Allen. Mon grand-père était devenu propriétaire de Lake House quand maître Gagnon père était passé le voir pour lui montrer certains papiers. Le vieux Allen la lui avait léguée, en plus de lui promettre une rente pour le reste de sa vie, qu'il lui verserait à partir du moment où sa chère *Mistress* cesserait de voguer. Grand-père n'a donc plus jamais mis les pieds sur un bateau. Et il avait reporté sur la maison et sur ses collections la passion de la navigation qui l'avait toujours habité.

Je n'ai pas pris le temps d'ouvrir mon parapluie, courant de la Panthère à la galerie. L'ouvrier de la compagnie avait enlevé les planches placardées sur la porte d'entrée. Ma main a aisément retrouvé, dans le creux de mon sac, la vieille clé lisse de cette porte liée à mon enfance. En pénétrant dans le vestibule, j'ai senti que j'étais vraiment de retour. La ville, le motel Memphré, la rénovation du local, tout cela, c'était les antichambres de mon retour. Les vraies retrouvailles ont eu lieu quand j'ai senti les effluves de cire d'abeille, de vernis à bois et de nettoyant à laiton, en rentrant dans la maison. J'avais grandi en respirant ces essences.

Je regagnais mon refuge.

Il faisait froid et sombre. Les rayons du soleil n'avaient pas caressé l'intérieur de la maison depuis longtemps. Un intérieur de rideaux tirés et de chauffage au minimum. Un froid de caverne. J'ai appuyé sur le bouton de l'interrupteur datant d'un âge révolu pour allumer le chandelier qui surplombait le vestibule. Rien.

Par devant, l'énorme salon avec vue sur le lac. À droite, le grand escalier en bois d'acajou qui menait à l'étage. Par la porte discrète, à gauche, on accédait à la cuisine avec ses rangées d'étagères pouvant accueillir les innombrables services de vaisselle dont on aurait normalement eu besoin à l'époque dans une telle demeure. La cuisine était connexe aux quartiers où avaient vécu les quelques personnes qui faisaient le service. Mais il n'y en avait pas eu quand nous habitions la maison. De mon temps, la cuisine était une vaste pièce aux équipements désuets et aux éviers bas et profonds en porcelaine cernés de rouille, où l'on faisait griller des toasts et bouillir l'eau pour le thé. Toasts au fromage, toasts aux sardines, toasts aux épinards. J'avais grandi en mangeant à l'écossaise.

Dans le salon, les rideaux étaient tirés. J'ai ensuite essayé d'allumer la lampe en porcelaine qui se trouvait sur la table, derrière le sofa. Rien. Puis, celle qui reposait sur l'un des buffets. Rien non plus. Le courant avait dû être coupé par un ouvrier, directement dans la boîte électrique.

J'ai tiré les rideaux : la vue sur le lac, le quai municipal de l'autre côté de la baie, le clocher de l'église dans la cime des arbres. Magnifique.

Le ciel était encore menaçant, mais le tambou-rinage de la pluie, sur la tôle couvrant la galerie, avait cessé. La maison respirait le calme.

Dans la morne lumière d'un jour de pluie et sous une couche de poussière, j'ai retrouvé les meubles dessinés ou choisis par les frères Maxwell et les objets de mon grand-père, avec le lac en toile de fond. Mon enfance.

Sur le manteau du foyer dormait toujours l'oreiller en porcelaine bleue.

Il m'est apparu clair et indubitable que ces pièces et ces objets, et l'air de cette maison, avaient forgé ma personnalité.

J'ai eu une folle envie de me reposer ici, de me coucher dans mon lit, dans ma chambre, à l'étage. Mais il était plus prudent, avant de dormir, de réta-blir le courant.

Ma mère avait gardé une torche électrique à manivelle dans un tiroir de la cuisine…

31

Je n'étais pas souvent descendue dans cette partie de la cave. Certains endroits, dans les grandes maisons, n'appartiennent pas à ceux qui l'habitent. Le soubassement en terre battue avait été le domaine de mon grand-père. Les peintures, solvants, produits pour le polissage, et les nombreux outils d'entreteneur de bois fins et de restaurateur de splendeurs antiques jonchaient encore son établi. Ce lieu avait été déserté par ma mère et par moi. J'avais certainement, à quelques reprises dans mes jeunes années, dévalé les marches à toute vitesse à la recherche d'une vis ou d'un marteau, en m'assurant de ne pas m'attarder dans ce lieu cafardeux, peuplé d'insectes sinistres. Ma mère et moi vivions en haut, dans la partie de la maison située au-dessus de la terre. L'immensité de la maison nous permettait de ne pas avoir besoin d'aller au sous-sol. Et plusieurs chambres, au deuxième, avaient servi à l'entreposage d'objets abandonnés au fil des années, qu'une maison spacieuse nous donnait le luxe de conserver.

Une odeur de pomme de terre en germination m'a remis en mémoire le souvenir d'un temps où mon grand-père s'occupait avec soin d'une chambre froide, à l'autre bout de la cave, où des marches menaient à une trappe qui donnait à l'extérieur. *Oh…* J'ai eu une vision de film d'horreur en pensant à des germes de patates qui auraient envahi chaque pouce carré de la chambre froide depuis toutes ces années. *J'espère que maman l'avait vidée après le décès de grand-papa.*

J'ai rechargé ma torche électrique en quelques tours de manivelle, et j'ai scruté le mur, près de l'établi, à la recherche de la boîte électrique. Je ne la voyais pas, mais quelle poussière !

Je me suis engagée dans l'autre direction, et je me suis pris une série de toiles d'araignée tissées serrées en pleine figure. Et, dans mon empressement à enlever *illico* les fils collants de mon visage, au cas où la tisserande y serait encore accrochée, j'ai échappé la torche par terre. Elle est tombée sous l'établi et ça a fait *toc !* en frappant le sol, un son qui m'a paru étrange pour un sol en terre battue.

La torche électrique était encore allumée.

Je me suis penchée sous l'établi pour la récupérer. De grandes pierres plates, de l'ardoise comme on en trouve en abondance dans les Cantons-de-l'Est, avaient été encastrées à même le sol, sous l'établi. *Idem* au pied de l'escalier. La torche avait glissé loin, et j'ai dû y engouffrer ma tête et le haut de mon corps pour la récupérer.

C'est alors qu'à quatre pattes sous l'établi, et dans le faisceau de la torche, j'ai vu, peints sur l'une des ardoises, les mêmes caractères chinois que ceux qu'il y avait sur le mur de ma boutique !

Je suis restée un instant les yeux posés sur les symboles désormais familiers, mais qui n'avaient rien à faire dans la cave de ma maison. J'essayais d'assimiler ce que je venais de découvrir, en plus de chercher une signification aux paroles elliptiques de petit Bouddha au sujet du rubis ou de Rubis sur la Rive.

Pendant que j'essayais de comprendre, une abominable impression qu'une armée de bibittes venant d'outre-tombe se faufilait à l'intérieur de mes jambes de pantalon m'a fait saisir la torche et me retirer promptement de dessous l'établi. Je me suis levée d'un coup et j'ai bondi sur la première marche en bois de l'escalier qui menait au rez-de-chaussée. Vivement sortir de ce sous-sol en terre !

Je recouvrais à peine mes esprits lorsque l'odeur de vieilles pommes de terre a été remplacée par celle des poupées de luxe ; le silence a été brisé par le bruit que faisait une personne qui marchait à l'étage, chaussée de souliers aux talons trop pointus pour les planchers centenaires en chêne de la maison.

J'ai monté les marches deux à deux, et j'ai vu quelqu'un dans l'embrasure de la porte, en haut de l'escalier :

– Madeleine !

– Ah ! tu étais dans le sous-sol !

– Madeleine, qu'est-ce que tu fais ici ?

– Tu m'as dit, au téléphone, ce matin, que tu viendrais faire un tour cet après-midi.

– Oui, j'ai dit que *je* viendrais... Laisse-moi sortir de la cage d'escalier, veux-tu ? J'ai l'impression que des milliers de perce-oreilles m'arpentent le corps.

Je me suis dirigée vers la clarté du salon. Madeleine m'a suivie.

– Ouf, ça va mieux comme ça, ai-je dit en me tapotant le bas des pantalons.

– Veux-tu bien me dire ce que tu faisais dans la cave ?

– Il n'y a plus d'électricité dans la maison, alors j'essayais de trouver la boîte électrique.

– L'as-tu trouvée ?

– Non. Enfin, elle est certainement là, mais je n'ai pas eu le temps de faire le tour. C'est un peu le fouillis en bas, et sans lumière, bien... Je... En fait, je venais à peine de descendre quand je t'ai entendue marcher en haut.

– C'est ce que je te disais ce matin, cette vieille baraque n'est pas faite pour une femme.

Le mot *baraque* m'a fait tiquer.

– Madeleine, cette maison est loin d'être une baraque. Je t'en prie, pèse tes mots, cette maison a beaucoup de valeur à mes yeux.

Elle s'est dirigée vers le foyer, et elle a passé son index à l'ongle manucuré sur le manteau poussiéreux. Elle s'est arrêtée à l'oreiller en porcelaine. J'ai observé son geste qu'on aurait dit filmé au ralenti. Cette lenteur a amplement donné le temps à mon sang de se mettre à bouillir.

– Je comprends tes sentiments, mais ce n'est pas la sentimentalité qui remet les propriétés en ordre. Ça prend de l'argent, et beaucoup d'argent ! Pourquoi penses-tu que tous les vieux chalets sur le bord du lac se vendent un à un, pis qu'on les démolit ?

– Parce que les gens n'ont pas de cœur.

– Parce que ça coûte trop cher à entretenir. Les temps ont changé, Sylvie. Maintenant, il faut être plus que millionnaire pour avoir une propriété sur le bord du Memphrémagog. C'est tout ! Et les millionnaires ne veulent pas vivre dans les vieilleries des autres. C'est ben normal !

– Ça te dit peut-être rien, mais cette maison, et une bonne partie des meubles qui se trouvent à l'intérieur, ont été dessinés par les frères Maxwell.

Elle ne réagissait pas.

– Le magasin Birks, sur la rue Sainte-Catherine, à Montréal, et l'actuel hôtel Saint-James ont également été dessinés par eux. Cette maison pourrait être classée monument historique. Je crois bien que toutes les maisons dessinées par les Maxwell le sont.

– Tu veux rire de moi ?

Elle se débarrassait de la poussière sur son doigt, et manifestement, quelque chose l'amusait.

– Qu'est-ce que tu veux dire ?

– Cette maison a été construite par des types qui s'appelaient Maxwell ?

– Oui…

– Alors, tu la pognes pas ? C'est une Maxwell House ! a-t-elle dit en s'esclaffant et en se tapant sur les cuisses.

J'ai décidé de rire au lieu de l'étrangler. Je voulais qu'elle soit vivante pour entendre ce que j'avais à lui dire :

– Madeleine, je ne vends pas ma maison.

32

Je me suis réveillée euphorique, après avoir dormi longtemps sur le sofa du salon de Lake House. Je me suis réveillée dans le noir aussi. Après le départ en furie de Madeleine, je n'étais pas retournée dans la cave pour essayer de rétablir le courant électrique.

J'ai tourné la manivelle de la torche électrique, avec laquelle je m'enlignais pour vivre une relation fort intime, et je suis allée sur la grande galerie. Je me suis dirigée du côté du lac pour m'asseoir un moment sur la balustrade. Le soir était sans lune. Je ne voyais pas le lac, mais je pouvais sentir sa suave odeur d'eau sauvage. Je percevais son clapotis contre la rive. *Il faudra mettre le vieux quai à l'eau, s'il tient encore après toutes ces années.*

Et j'ai pensé à Jean : comment se débrouillait-il avec le quai de madame Frost ? Il saurait comment ranimer une vieille boîte électrique…

Malgré la lourdeur des tâches qui m'attendaient en gardant ma propriété, je me sentais légère. L'état d'indécision dans lequel je barbotais depuis mon retour au pays était encore plus lourd à supporter. J'avais pris une décision et je me sentais libérée. Je pouvais profiter de ce moment sur le balcon, sans culpabilité, sans regret ; je n'étais pas sur le point de tout larguer.

Rien de pire que l'indécision.

J'avais mis du temps à décider de te quitter. Je pourrais dire que je l'avais fait parce que maman venait de mourir, mais dans les faits, cela ne changeait rien. Comme cet après-midi avec Madeleine et la maison, c'est souvent une bagatelle qui finit par dicter notre conduite.

Une amie m'avait emmenée dans un sombre salon de thé à Shenzhen pour rencontrer un homme qui me prédirait mon futur. Un devin. Mon amie me l'avait présenté sous le nom de *maître de l'éveil subtil*. C'était un devin qu'on ne payait pas, mais je lui avais quand même acheté un paquet de cigarettes Red Double Happy que j'avais choisi à cause de leur prix élevé et pour la chance, parce que le paquet était rouge. Je lui avais tendu les ci-garettes et une feuille de papier sur laquelle étaient inscrites la date et l'heure de ma naissance, ainsi que la latitude et la longitude de la ville, ici, où j'étais née. Il s'était plongé dans la fumée et les calculs.

Le salon de thé était grenat, or et noir laqué avec des murs de tablettes remplies de boîtes, de porcelaines, de poteries et d'outils exquis. Des lampes en papier opaque accrochées aux murs projetaient une faible lumière qui se reflétait dans l'arrondi des objets, et on aurait dit que c'était eux qui fabriquaient la clarté.

Le mur du fond était réservé aux croûtes de thé *puer*. Il y avait des pains denses, en forme de disque ou d'assiette, qui tenaient debout par des griffes en acajou verni. *Puer cha*, le thé le plus discuté, le plus cher, le plus capiteux, le plus à la mode. Le nouvel opium, l'opium licite. Un thé qui devait vieillir, et qui goûtait le monde à force d'y demeurer et de le connaître. Un privilège. Un miracle.

Le maître fumait et comparait longuement ses calculs aux énoncés de son *Livre de la branche céleste du pilier des jours*. Mon amie se tenait sur sa chaise comme quelqu'un qui attendait la fin des délibérations d'une cause de meurtre. Nous étions tous les trois assis à une longue table, avec d'autres clients qui ne s'occupaient pas de nous. De belles hôtesses s'affairaient à placer les ustensiles nécessaires au service, les brûleurs surmontés de vaisseaux fumants et les bouilloires qui laissaient s'échapper une chaleur exquise. Je m'imbibais de ce monde.

J'ai passé ma main le long de la table, et je me suis aperçue que c'était un tronc d'arbre aplani par l'usure. Je ne pouvais m'arrêter d'en caresser les côtes. Mes doigts parcouraient l'immobilité de son dos droit, touchaient son histoire, et se sont rappelé la vieille table de réfectoire en if dans la salle à manger de Lake House. La table de mes repas d'enfance. C'était un appel.

À travers la fumée, le divinateur a toussoté. Il a déposé le *Livre*, et m'a dit quelque chose que ma copine m'a traduit :

— Vous êtes bois.

Mine soulagée de mon amie.

— Mais pas de la variété forte.

Mon amie eut de nouveau l'air tendu.

— Vous êtes un bois souple, fin, pliable. Ma copine cherchait le mot juste et elle a dit : comme un roseau.

C'était un contraste vert avec tout le rouge qui m'entourait dans ce salon de thé, et qui me chauffait les sangs.

Mon amie lui a posé les questions qu'il fallait pour trouver un remède à mon manque de colonne.

— Votre position d'augure maximale se situe à proximité de l'eau douce. Mon amie se battait contre les mots. Traduire, c'est laborieux.

— Pardon ? ai-je dit.

307

– Tu dois toujours vivre près de l'eau, mais pas près de la mer, m'a-t-elle chuchoté.

– Ainsi, vous pourrez à volonté vous abreuver des liquides nécessaires pour maintenir votre structure, a ajouté le devin.

Le marteau était tombé. Je retournais au grand lac.

Depuis des années, j'avais recours à tes sucs pour remplir mon vide. Tu m'avais convoitée le premier jour, mais le deuxième, j'avais déjà basculé. Je m'étais éprise de ton corps, puis je n'avais pu m'en passer. Comme un médicament délivré sous ordonnance. J'étais pleine de gratitude, au début, d'y avoir droit, d'y avoir accès, puis j'étais incapable de m'en défaire. Je m'étais plantée, roseau, à ton embouchure, quémandant l'eau dont j'avais besoin pour survivre. J'étais sèche, désertée, dès que tu me quittais ; j'étais fiévreuse, attendant le prochain boire, attendant la prochaine fois que ton corps serait allumé par le mien, et m'insufflerait la vie.

J'ai laissé un mot sur le clavier de ton ordinateur. Tu n'aimais pas beaucoup parler :

Le bois d'une table était aussi doux que ta peau et un devin m'a dit que le temps était venu pour moi de partir.

Tu avais compris que je n'aurais jamais deux meilleures raisons de te quitter.

．．．

Le Memphré *snack-bar,* sur la *main,* était déjà fermé, mais dans la douceur de ce début de mois de juin, la rue grouillait encore de monde. Le petit comptoir laitier restait ouvert pour attraper les derniers clients. Il y avait longtemps que je n'avais pas mangé une crème glacée d'ici, à saveur familière. En Chine, les enfants raffolaient de saveurs à la patate douce ou au maïs.

Parmi les nouvelles saveurs telles *gomme balloune rose* et *pâte à biscuits non cuite*, j'ai repéré *pistache*, qui m'a semblé convenable pour une femme de mon âge. Délice. Je dégustais ma gâterie en déambulant dans la rue. Heureuse. Je suis passée devant la vitrine inanimée de ma boutique, et je me suis assise sur le banc, sous le lampadaire. Les gens passaient. C'était la première fois que je sortais si tard depuis mon retour. Les gens étaient beaux, détendus, souriants dans la soirée clémente. Les hommes montraient fièrement leur *blonde,* les enfants marchaient aux côtés de leurs parents en babillant sans arrêt. Je me demandais à quoi avait bien pu ressembler la Principale au cours des premières années qui avaient suivi l'arrivée de mon grand-père, et quelle avait pu être la vie pour « le Chinois » à cette époque. S'était-il promené fièrement sur la *main* par les beaux soirs d'été, ou s'était-il terré dans sa solitude à écrire à répétition *je t'aime* sur les murs ? Et pourquoi un *je t'aime* était-il écrit sur une pierre en ardoise, dans le sous-sol de la maison, sous l'établi ?

En songeant à la maison, je me suis demandé si j'avais mis la clé dans mon sac. Je l'ai ouvert pour vérifier. Elle était là, dans la petite pochette intérieure. Il y avait le biscuit chinois aussi, que j'avais mis là la veille. J'ai brisé le cellophane avec mes dents, j'ai cassé le biscuit en deux, et j'ai lu le message :

Vous recevrez une aide improbable.

Il était presque neuf heures. Il était encore temps de rentrer au motel et de téléphoner à Jean pour lui annoncer que nous aurions du pain sur la planche.

1910

33

À l'aube, un grand fracas se fit entendre dans la propriété de madame Lung. Puis, un policier ouvrit la grille et sortit du jardin, menotté à un forçat vêtu de haillons, qui cachait sa honte sous un chapeau de paille à larges bords. Ils mirent du temps à se mettre en route, car l'homme menotté se comportait comme un mulet récalcitrant. Le policier insista et sortit son pistolet, et le prisonnier devint plus coopératif ; ils disparurent dans les brumes du petit matin, se dirigeant vers le pied de la montagne.

Puis, un *rickshaw* tiré par Koo le rapide s'arrêta devant la grille. Une femme et un gentleman chinois sortirent à leur tour du jardin, suivis de deux jeunes servantes portant une malle de voyage qu'elles attachèrent à l'arrière du véhicule de Koo. L'homme et la femme formaient un couple saisissant. Nul doute, avec leur port, leur fière allure et leurs vêtements bien coupés, ils appartenaient au gratin chinois de la ville. Ils s'assirent dans le *rickshaw*, et Koo rabattit le paravent au maximum. Ils s'en furent le long de Conduit Road, afin d'emprunter la rue parallèle à celle prise par le policier et le captif, et descendirent le Peak.

Koo était fort. Seuls les coolies puissants pouvaient dévaler une pente aussi abrupte sans que leur véhicule s'emballe et se fracasse au bas de la montagne. Contrôler son *rickshaw* demandait l'entière attention de Koo. Les amants qu'il transportait jusqu'au quai étaient oublieux de ses efforts, et de tout, sauf de leur amour et du temps trop court qu'il leur restait avant leur séparation.

Aucun d'eux n'entendit l'éclat des coups de feu retentir dans le matin tranquille. Des tireurs experts, embusqués à mi-chemin de la montagne, avaient vidé leurs armes sur les deux hommes qui descendaient la rue voisine, et les avaient laissés gisant dans une mare de sang.

• • •

L'agent de bord du bateau regarda d'un mauvais œil le dandy chinois qui se trouvait devant lui. Il se méfiait de l'argent chinois, des sourires chinois, des paroles chinoises ; bref, il abhorrait les Chinois. Mais le passeport de celui-ci était en règle et le billet de première avait été payé avec de l'argent sonnant. *Que les autorités, à Vancouver, fassent leur*

boulot s'il y a frime ici. Je ne perds pas mon temps
pour un sale Jaune, se dit-il.

Il étampa le billet de Li dans un geste brusque
qui n'avait rien de poli.

Li se retourna.

Lung, dans la foule, le fixait. Elle le sentit défail-
lir, sentit sa terreur, et le supplia des yeux et d'un
mouvement de la tête d'avancer, de continuer, d'aller de l'avant, et de s'embarquer sur la passerelle de
l'immense navire à la coque blanche.

Durant ce court instant, il fut tenté de s'arrêter,
d'arracher les lunettes qui lui donnaient déjà mal
à la tête, de rebrousser chemin et d'affronter les
conséquences des gestes qu'on lui reprochait, tant
la peur de l'inconnu lui nouait les entrailles. Mais à
la pensée de Lung, de Patterson, de Fu le jardinier
et des autres, qui avaient pris tant de risques et qui
avaient fait tant de sacrifices pour qu'il s'embarque
sur ce bateau, et qui, sans vraiment le connaître, sans
avoir sondé le fond de son cœur, lui avaient offert
leur aide, il mit le pied sur le bois de la passerelle.
Il ne se retourna plus.

Il se serait peut-être retourné et il aurait peut-
être choisi d'accepter son sort s'il avait su que ce
bateau l'emmenait du côté froid et bleu de la terre,
et s'il avait su quelles souffrances l'y attendaient.

Du même auteur :

Jardin sablier, Marchand de feuilles, 2007.

HKPQ, Marchand de feuilles 2009.

Achevé d'imprimer sur les presses
de Transcontinental Métrolitho
à Sherbrooke, Québec, Canada.
Premier trimestre 2011